정근 전집
3권

구연동화의 이론과 실제

말하는 이야기 동화

부록 - 이야기 구성을 위한 정근 드로잉

정근 전집 간행위원

현기영(소설가)

양정자(시인)

이상국(시인)

신이영(유라시아문화연대 이사장)

장철문(시인 · 아동문학가)

유족대표 정철훈(시인 · 편지문학관 관장)

요즘 동화를 아이들에게 들려주는 봉사단체나 전문인이 각종 동화구연대회를 통하여 양산되고 있다. 서구로 말하자면 '스토리텔러(storyteller)'가 그들이고, 그들이 들려주는 동화가 '말하는 이야기 동화'이다.

시대의 변화에 따라 현대는 민화나 옛이야기를 전하는 방법에 많은 변화를 가져왔다. 신세대 어린이의 언어수용 능력에 따라 이야기를 그 정도에 알맞게 풀이하여 다시 이야기하고 있는 노력은 좋으나 중요한 핵심을 저버린 줄거리의 병용도 나타나고 있어 새로운 국면을 맞이하고 있다.

옛이야기나 민화는 당연히 전승되어왔고 또 전승되어야 할 우리 민족의 전통과 얼이 담긴 이야기이기 때문에 줄거리 속에 나오는 언어나 내용을 알기 쉽게 풀이하고, 좀 더 재미있게 전하는 것은 어린이가 새로운 흥미를 갖고 즐겨 들을 수 있겠지만 이야기의 본뜻이 왜곡되는 것은 들려주지 않은 것보다 못하다.

민중의 뼈저린 마음이 우러나온 생각이 꿈과 소망의 결집으로 자자손손 전하여 내려온 민화, 이것을 이야기하는 이야기꾼은 그림책이나 이야기책을 단순히 읽어주거나 낭독해주는 것이 아니라, 육성으로 직접 자기 입과 목청을 꾸며 이야기하는 사람을 말한다. 이야기하는 사람은 이야기의 이미지를 언어로 말하고, 듣는 사람은 그 말에 의해서 마음속에 자기 이미지를 창출한다. 그리고 이야기하는 사람과 듣는 사람은 서로 마음의 교감으로 눈에는 보이지 않은 새로운 세계를 창조하는 것이다.

이렇듯 우리나라에도 1930년대 개화기에 '동화'라는 개념이 들어오면서 우리의 옛이야기를 전승하는 이야기꾼들은 어릴 적 할머니 할아버지나 주변의 어른으로부터 입에서 입으로 전해 듣던 이야기를 기억하여 다음 세대에 또다시 전달해주었다. 이와는 달리 현대의 이야기꾼은 할머니나 할아버지가 들려준 이야기뿐만 아니라 오히려 자신이 들려주고 싶은 옛이야기나 이야깃거리를 인쇄된 서적에서 선택하여 이것을 외워서 여기에 새 생명을 불어넣어 재미있는 이야기로 들려주고 있다.

이야기, 특히 옛이야기를 들려준다는 것은 이미 말한 바와 같이 세계 어느 곳에서나 이루어지고 있었다. 이미 우리 가정에서도 안방이나 사랑방에서 화롯가에 둘러앉아 옛이야기를 듣던 노변(爐邊)담화 시대가 분명히 있었다. 그러나 급격히 변하는 문명 속에서 이야기꾼은 술꾼, 노름꾼, 사기꾼처럼 천대받은 어휘의 하나로 받아들여졌기에 오히려 맑고 깨끗한 어린이를 대상으로 하는 이야기꾼의 위상을 좀 더 높여 보려는 분위기 속에 한자인 입 구(口) 자와 펼 연(演) 자 두 글자를 합쳐 입으로 말하는 동화라는 뜻에서 '구연동화(口演童話)'라고 불려 왔던 것 같다.

구연동화라는 개념은 연극을 연출하듯 이야기와 이야기하는 사람, 듣는 사람이 고루 갖추어진, 세 가지를 보다 효과적으로 연출하여 감동적으로 들려주려는 활동을 말하며 이것을 전문적으로 연구하여 이야기하는 이야기꾼을 '구연가(口演家)'라고 한다.

이것은 본질적으로 틀린 말은 아니다. 당시는 외국에서도 탤런트적인 기질을 가진 사람들이 스스로 '구연동화가'라고 칭하며 어린이들을 대상으로 이야기를 들려주는 일을 생업으로 삼는 사람들이 있었다. 그러나 실제 이야기를 듣는 대상인 어린이에게는 그리 친숙하지 못하였고 지금은 "구연동화 들려주세요."라고 말하는 어린이는 거의 찾아볼 수 없다.

구연동화라는 용어는 학자나 어른 사회에서 빈번히 사용되어 온 것은 사실이지만, 전통적인 순수 우리말은 아니다. 또 다른 근거에서 보면 근대에 급격한 정보 통신문화의 발달로 개인주의가 발달하여 어떤 틀에 박힌 이야기보다는 듣고 싶은 이야기를 편하고 쉽게 듣고자 하는 경향이 높아졌다. 유아는 어떤 이야기의 줄거리보다도 자신이 아는 이야기를 더 좋아한다.

핵가족시대에서 할머니나 할아버지를 대신해 줄 사람은 아무도 없다. 결국 어머니와 아버지가 사랑의 이야기꾼이 되어야 한다. 가장 좋은 방법이란 한 가지 이야기라도 자주 반복하면서 즐거운 대화 속에 이야기를 재미있게 들려주는 데 있다.

이 책에서는 어린이에게 들려주는 이야기를 그대로 '이야기' 또는 '동화'라 표기하고 어린이에게 이야기를 들려주는 활동을 우리말 그대로 '말하는 이야기 동화'로 표기하려고 한다. 이것은 새로운 말이 아니고 어린이나 어른이 같은 뜻에서 공통성을 가지고 쉽게 말할 수 있는 친숙한 말이기 때문이다.

머리말 ··· 3

제1장 – 아기는 무엇을 생각하며 동화를 듣고 있을까

제2장 - 말하는 이야기 동화란 무엇인가

제3장 - 아기는 엄마의 얘기를 좋아해요

제4장 - 이야기 동화의 선택과 문제점

제5장 - 옛이야기에 새 옷을 입히려면

제6장 - 이야기 동화의 화술

제7장 - 세계의 동화에 대한 단상

부록 - 이야기 구성을 위한 정근 드로잉

책 속의 〈말하는 이야기 동화〉 목록

제 1 장

아기는 무엇을 생각하며 동화를 듣고 있을까

1. 동화란 무엇이며 어린이는 왜 동화를 좋아할까
2. 사랑을 담아 주는 가정동화
3. 뱃속에서부터 듣는 이야기

1. 동화란 무엇이며 어린이는 왜 동화를 좋아할까

동화란 말 그대로 어린이를 위한 이야기이다. 한자의 아이 동(童) 자와 말할 화(話) 를 합성한 숙어로 사전에는 '동심을 기저로 하여 어린이를 위하여 지은 이야기'라고 되어 있다. 다시 말해서 동화의 세계는 거짓말은 없다 상상과 꿈이 있을 뿐이다. 어린이는 이야기를 듣고 꿈을 꾸고 상상을 한다. 이야기를 들려주면 초롱초롱한 눈동자가 잠시 초점을 잃고 무표정한 어린이를 발견한다. 이럴 때 어른들은 흔히 이야기를 듣는 태도가 안 좋다고 말한다. 그러나 그 순간 그 어린이는 그 이야기 속의 주인공과 공감하고 무한한 상상의 세계를 여행한다. 어린이는 이야기에 감동하면 마음속에 창조적 꿈을 그린다. 더욱 재미있고 즐거운 세상, 무한한 가능성이 보이는 세상, 이것이 어린이만이 개척할 수 있는 상상의 세계이다. 이러한 동화적 꿈의 세계는 확대되어 탐구심을 자극하고 독서력을 정착시킨다. 이것은 이윽고 창의적 발상으로 이어진다. 따라서 동화는 인생의 꿈을 키워주는 원동력이 된다. 이 꿈은 어른이 된 다음까지도 연장된다. 누가 동화를 하나라도 많이 들었느냐가 창의적 활동에 영향을 미치게 된다.

가. 동화의 의의

어린이를 위한 이야기 동화라는 말은 서양에서도 적격한 말을 찾기가 어렵다. 영어에 '너서리 테일'(nursery-tale)이란 유모가 아기에게 하는 이야기라는 뜻으로, 자장가처럼 아기에게 들려주는 이야기의 뜻에 불과하다. 또 서구나 북구에서 말하는 '페어리 텔'(fairy-tale)도 민화에 등장하는 'fairy' 즉 천사나 요정들을 주인공으로 하는 옛날이야기라는 뜻일 뿐, 우리 동화처럼 어린이를 위한 이야기는 아니다.

불어의 '꽁트(conte)'라는 말도 영어의 '테일'과 같이 이야기라는 일반적인 뜻에 불과하다. 단 우리 동화와 뜻을 같이하고 있는 말은 독일어의 '킨더-마르헨(Kinder-Marchen)'이 있다. '킨더'는 어린이라는 뜻이고 '마르헨'은 이야기란 뜻으로 명확히 어린이를 위한 동화, 즉 우리와 같은 맥락의 동화를 의미한다. 독일의 문헌학자이자 언어학자이고 민속학을 연구하면서 독일 각지의 동화를 수집하여 동화집을 발간한 그림 형제는 첫 번째 동화집 표제를 '킨더 운트 하우스마르헨(kinder und hausmarchen)' 이라는 긴 이름을 달았다. 이것은 '어린이와 가정동화'라는 뜻으로 가정에서 우리가 말하는 동화의 개념과 가장 잘 어울리는 말이다.

가정은 어린이의 성장발달에 기본이 되는 곳으로 예부터 어린이에게 주어지는 모든 이야기는 성장발달의 기초가 되어왔다. 그러기에 가정은 어린이의 일생을 좌우하는 중요한 바탕이라고 말한다.

예부터 그래왔지만, 유아교육의 기본이 되는 가정은 매우 중요하다. 더구나 정보화 사회는 모든 것이 개방되어 가고 있다. 이제 어떤 가정도 이 대열을 벗어날 수가 없다. 가정교육의 내면도 지적, 도덕적 규범이 개혁되어 가는 현실에 서 있다. 이제는 부모도 자녀와 함께 사회 문화적 현실을 함께 이겨나가야 할 때가 온 것이다. 내가 먼저 읽고 이야기해주고 토론하고 이해하고 공존해 나가야 한다. 그래야만 자녀가 자라서 자기를 개척하고 자립하는 목적에 자연스럽게 도달한다.

소설은 작가의 상상력에 의하여 구상되고 인간의 성격이나 생활의 단면을 섬세하고 진실하게 그려야 하는 데 비해 동화는 소박하게 그려진 내면의 미적 표현으로써 인간의 진실한 모습을 이야기한다. 동화란 진실 혹은 가상적인 일을 어린이에게 들려주는 것이자 이성에 호소하기보다 감정에 만족을 베푸는 것을 말한다. 즉 동화란 동화 작가나 이야기를 들려주는 사람이 예술의 견지에서 혼심을 다해 어린이의 정서 생활에 기여하는 것이다. 그러므로 잠깐 사이에 들려준 이야기가 어린이의 일생을 같이하는 혼이 되는 것이다. 기쁘거나 슬플 때, 외롭거나 어려울 때 동화 속의 환상이 해결의 실마리를 풀어준다. 그러기에 말하는 이야기 동화를 사랑의 소리로 그려주는 '정신적 그림'이라고도 말한다.

나. 말하는 이야기 동화

이야기 동화란 풍부한 상상력과 창조력을 가진 어린이들을 대상으로 환상적인 세계로부터 현실에 이르기까지 다양한 동심의 세계를 그린 이야기를 말한다. 그러므로 이야기 동화는 어린이가 편하고 쉽게 어른이 말하는 이야기를 듣고 감동하고 또 하나의 세계를 상상하면서 어린이의 꿈을 키워주는 구실을 한다.

학자들은 동화를 크게 두 가지로 나누었다. 어린이 자신이 읽을 수 있는 아동문학으로서의 동화와 어른이 읽어주거나 재미있는 이야기로 들려주는 이야기 동화 즉, 말하는 이야기 동화로 나누어 보았다. 특히 유아에게 동화는 대부분 말하는 이야기 동화와 이야기 내용을 그림으로 그리고 간결한 글을 곁들인 그림 동화가 주제를 이룬다.

옛날에는 보부상이나 입담이 좋은 나그네가 이 동네, 저 동네 다니면서 눈으로 보거나 얻어들은 최신의 정보나 야담(野談), 우스운 이야기(笑談), 옛날이야기 등을 사랑방에서 주인과 여러 사람들에게 재미있게 들려주고 하룻밤 묵어가는 보답으로 삼았다. 사람들은 이런 사람을 '보부상' 또는 '이야기꾼'이라고 불렀다.

이야기꾼은 비록 암행어사는 아니지만 이런 소문 저런 소식을 재미있고 흥미진진한 입담으로 전하면서 민중의 의사도 수렴하여 질서를 무너트린 비도덕성은 신랄하게 비판하고 어질고 너그러운 덕행은 덕망으로 높이 받들어 민중과 뜻을 함께 하고 이 고을 저 고을에 재미있는 이야기로 엮어서 전하는 전령사 역할을 하였다. 이렇게 말하는 이야기 동화는 민속학에서는 민간 사이에 입에서 입으로 전하는 구비문학으로 구전동화 또는 전승 동화라고 하였다.

일찍이 민족의 신앙이었던 신화가 신앙을 잃게 되어 민화로 존재하다가 이 민화가 어른들 사이에 흥미를 잃게 되자 옛날이야기로 변형되어 어린이 차지가 된 것이다. 이런 이야기는 처음부터 어린이를 위하여 만들어진 것이 아니고 어떤 특정한 작가가 있는 것도 아니다.

민중 사이에서 자연히 발생하여 널리 민중 사이에 화제가 되어 입에서 입으로 전하여 왔다. 그 줄거리를 살펴보면 일반적으로 가진 자보다는 못 가진 자, 강자보다는 약자들 입장에 서서 두 계층 간의 갈등을 묘사하고 끝내는 선한 자와 약자가 승리하게 되는 내용이 대부분이다. 이렇게 옛날이야기는 서민 계층의 보상적 만족을 취해 왔다.

그 결과 착한 일은 권장하고 악한 일은 징계하는 사회 정의의 확고한 가치관을 창출하여 가정교육의 수단으로 자리 잡게 되었다. 더욱이 선조들의 얼이 담긴 옛 이야기는 생활 속에 쉽게 접할 수 있었으며 안정된 가정에서 우리 전통문화를 배경으로 전개되는 이야기는 알기 쉬워 호흡을 같이 하고 재미있고 깊은 감동을 주어 삶의 슬기와 예지를 일깨워 공동사회의 일원으로 자라는 길잡이가 되어 주었다.

근대에 와서는 아동문학으로 자리잡았다. 어린이들의 교육과 정서를 위하여 작가가 동화를 창작하여 듣는 동화에서 보고 듣는 그림 동화로 풍부한 상상력을 환기하며 새로운 감동을 안겨주는 예술로 승화시켜 어린이의 교육적 가치를 한층 높여 왔다.

2. 사랑을 담아 주는 가정동화

가정은 인간이 생활하는 가운데 가장 자연스럽게 형성된 기본적인 생활환경이다. 아기가 태어나면 바로 그 가정에서 유아기의 거의 모든 생활을 하게 된다. 따라서 가정은 아기가 자라는 환경으로서 가장 중요한 곳이다. 인성의 기초가 되는 성격 형성도 가정에서 이루어진다. 취학 이후는 그 생활이 학교로도 연장되지만, 여전히 가정은 중요한 기초생활의 터전이 된다. 그래서 환경의 조건은 기초적 성격 형성에 결정적 영향을 미친다. 성장발달이 빠른 아동기 어린이의 활동 영역이 가정에 한정되기 때문에 인간의 기본습관과 품성도 그 가족의 성향을 닮게 된다.

대가족 제도에서 핵가족으로 전환되면서 가족의 개념도 많이 달라지기는 했지만, 어린이에게 가정은 가장 안정된 교육환경이고, 소질이 계발되는 기저가 되는 곳이다. 가정은 어느 누구도 해체할 수 없는 혈연의 관계로, 보다 협동적이며 가족 상호 간의 이해와 깊은 정이 오고 가는 공동체이다. 즉, 어린이에게 가정은 가장 안전한 교육환경이다.

옛날 대가족 때는 욕구 불만이나 애정 결핍, 불쾌한 느낌이나 긴장 상태 등의 정서 불안이 있으면 아이들은 곧잘 울음을 터트렸다. 엄마는 매로 다스리거나 호되게 꾸짖어 아기를 가르치려고 하지만 할머니는 손자를 사랑으로 달랜다. 때로는 안고, 때로는 아기가 즐기고 좋아하는 것을 주어서 달래거나 팔을 베개하고 안정시켜 잠을 재운다.

이렇게 할머니는 끊임없이 아이와 이야기를 나누며 아이의 마음을 달랜다. 할머니는 누구보다도 먼저 아이 마음의 상처를 어루만지며 안정시킨다. 지쳐서 잠이 든 뒤까지 들려준다. 꿈속에 어렴풋이 들리는 옛날이야기에 아이는 동화 속의 주인공과 함께 환상의 세계를 넘나들며 진정한다.

이러한 과정에서 아기는 정서적으로 안정하고 삶의 규범을 이해하게 되고 정서적 감수성을 길러 성숙해간다. 동화는 이렇게 어린이의 가정교육에 중요한 역할을 해왔다. 다시 말해서 이야기로 들려주는 '말하는 이야기 동화'는 어린이의 가정교육에 중요한 역할을 해왔다.

할머니가 아기에게 이야기를 들려줄 때 헤아려 보지도 않고 무턱대고 얘기해 주지 않았다. 아기의 심신 상태에 따라 일어나는 불안, 권태, 희망 등 생태 감정을 살피면서 이야기 속에 아기에게 자극이 되는 것은 피하고 아기가 새롭고 관심을 끌만한 얘기의 실마리를 주어 흥미의 동기를 주고 관심의 초점을 맞추었다. 움직이는 활동적 얘기를 선택하여 관심을 끌게 한 다음 아주 쉽고 이해하기 쉬운 이야기로부터 시작한다.

저기 저 할머니 좀 봐라. 젊었을 때 일을 많이 해서 꼬부랑 할머니가 되었구나.(노래하듯이) 꼬부랑 할머니가 꼬부랑 지팡이를 짚고, 꼬부랑 고갯길을 꼬부랑꼬부랑 걸어가는데, 꼬부랑 강아지가 꼬부랑 할미를 보고, 꼬부랑 멍멍 꼬부랑 멍멍하고, 짖으니까 꼬부랑 할머니가 꼬부랑꼬부랑 화가 났지 뭐냐, 꼬부랑 할머니는 꼬부랑 지팡이 들고 꼬부랑 강아지를 꼬부랑꼬부랑 때리니까 꼬부랑 강아지가 꼬부랑깨갱 꼬부랑깨갱 깨갱거리며 꼬부랑꼬부랑 도망을 갔단다.

아기는 이 얘기를 듣고 운율적인 리듬에 호기심을 보이면서 조금 전까지 불안했던 일들은 잊어버리고 꼬부랑 할머니를 상상하면서 현실 속에 입을 연다.

"할머니! 할머니도 꼬부랑 할머니 될 거야."
"그럼 더 늙으면 꼬부랑 할머니가 된단다."
그러자 아기는 할머니를 생각하며 다소곳이
"할머니는 꼬부랑 할머니 되지 마."
"아니 왜 네가 자꾸 울면 할머니가 꼬부랑 할머니가 되는데…."
"할머니, 그럼 안 울게."
"암, 그래야지. 너하고 나하고 오래오래 살자구나."

이렇게 마음에서 마음으로 정이 흐르고 사랑이 담긴 할머니의 얘기는 고집을 세우고 굳게 닫힌 아기의 마음을 열어준다. 그래서 아기는 할머니, 할아버지의 이야기를 좋아한다. 누구보다도 안전하고 자유로운 할머니, 할아버지의 이야기 동화는 꿀처럼 달콤하다.

마음대로 물어봐도, 귀찮다 않으시고, 일일이 따뜻한 마음으로 응답해 주시는 할머니 할아버지의 이야기를 들으며 또 하나의 꿈을 키워간다. 그럼으로써 아기가 꿈을 창조하는 세계다. 그래서 사랑이 담긴 이야기는 미래를 살아가는 아기의 밑거름이 된다.

선한 사람은 선의 보답을 받고 악한 사람은 악의 보복을 받는 인과응보의 순리를 아기는 자연히 알아간다. 아무리 좋은 이야기도 사랑이 없으면 귓전에 스쳐 가는 꽹과리 소리에 지나지 않는다. 아기에게 중요한 것은 이야기보다도 더 달콤한 사랑이다.

사랑은 꿈을 낳고 꿈은 희망을 실현하는 힘을 낳는다. 이야기로 들려주는 '말하는 이야기 동화'는 어린이가 이야기를 필요로 할 때, 그 필요한 어린이의 눈높이에 알맞은 얘기를 즉각 골라서 가장 짧고 가장 쉽고 가장 재미있는 얘기를 들려주는 할머니, 할아버지의 옛이야기는 대부분 권선징악이 주제를 이루고 있다.

특히 할머니 할아버지의 애틋한 정은 아이들을 감동시키며 이야기의 주인공은 아기의 꿈속을 찾아든다. 그리고 그들은 벌써 친숙한 벗이 되어 상상의 날개를 달고 현실과 공상의 세계를 넘나든다. 그리고 그들은 또 하나의 얘기를 꾸며간다.

날마다 한 지붕 아래 살면서 대화의 상대가 되어 놀다가도 문득 생각나면 묻고 얘기 속에 사랑을 담아 주는 가정동화는 새로운 창조 세계로 달려간다.

가. 옛날이야기에 숨어 있는 예지

할머니, 할아버지는 이야기를 들려주기 이전에 따뜻한 정이 흐르고 있다. 아기가 울음 끝에 머리가 아파 괴로워하면 "어이구 우리 강아지가 배탈이 났나? 머리가 아픈가? 할머니는 먼저 손바닥을 "호호" 불어 따뜻하게 비벼서 "걱정 마라, 할머니가 만지면 금방 낫지?" 하면서 아기의 머리와 배를 쓰다듬어 주신다. 할머니는 아기의 편이 되어 심적인 불안을 살펴 주신다.

"엄마에게 꾸중을 들었니? 다음엔 꼭 사주실 거야. 아니면 할머니가 사줄까?"

아기는 어느 정도 심적인 안정을 취하며 할머니와 대화를 시작한다.

"할머니, 정말 사줘?" "그렇지 않고" "그래, 어디가 아프니" "머리 아파" "오! 그래, 이렇게 말을 하면 금방 나을 것을. 그랬구나, 걱정 말아요. 할머니의 손은 약손이야 금방 나을 거야." 하고 먼저 따뜻한 위로의 말로 정신적 안정을 헤아려 주신다. 아기는 사랑 반, 이야기 반으로 위로를 받는다. 할머니, 할아버지의 사랑의 손길은 아기의 가슴속에 깊숙이 스며든다.

그리고 빼놓을 수 없는 옛날이야기는 아기의 마음의 문을 열어 활짝 열어준다. 이야기는 아기의 처지와 비슷한 이야기로부터 시작한다.

"어느 가난한 집에 너 같은 예쁜 딸아이가 있었는데 설빔으로 고까옷을 사달라고 했었단다. 그렇지 않아도 가난에 쪼들려 변변한 옷 한 벌 사주지 못해 가슴 아픈 엄마는 아기의 마음을 달랠 길이 없어 '다음에 사줄게 조금만 참아라'라고 말하지만 아기는 당장에 사달라고 울음을 터트린다. 할머니는 아기를 달래며 업고 나간다.

"그래그래 그만 울고 할머니 얘기를 들어봐. 너 까악까악 하고 우는 새가 뭔지 아니? 까마귀 알지? 까마귀가 왜 까악까악 우는지 아니?"

옛날, 옛날에 새까만 까마귀가 다른 새들처럼 고까옷이 입고 싶어서 하루는 산속의 새들 놀이터를 찾아갔더란다. 까마귀는 이곳저곳 떨어져 있는 새들의 여러 가지 고운 깃털을 주워서 제 검은 깃 사이에 울긋불긋 예쁘게 꽂고는 빙그레 웃었어. "이렇게 예쁜 모습을 보면 새들이 깜짝 놀랄 거야." 까마귀는 자랑을 하고 싶어서 견딜 수가 없었어. 그래서 산새들이 모여 노는 큰 나무숲으로 날아가 자랑을 했어.

"얘들아, 나 좀 봐, 얼마나 예쁘니? 참 멋있지 않니! 어때?"

하고 우쭐거리며 앞으로, 옆으로, 뒤로, 돌아 보이며 자랑을 한 거야. 새들은 여러 가지 색의 처음 보는 예쁜 새라, 눈을 동그랗게 뜨고 놀란 모습으로, 누구인지 몰라 모두 가만히 보고만 있었어. 그러자 까마귀가 날개를 커다랗게 펴 보이며

"이 세상에 나처럼 고운 옷을 입은 새는 없을 거야, 자 어떠니?" 하고 날개를 너울거리자 예쁜 깃털 하나가 팔랑팔랑하고 떨어졌어. 그때 비둘기가 큰 소리로

"어머머 저 깃은 내 것인데…" 하고 소리치자 다른 새들도 모두 달려들어

"정말 이건 내 거야."

"저건 내 거야."

새들은 모두 덤벼들어 제 깃을 물고 잡아당기고 또 까마귀의 깃털까지 물어뜯고 말았어. 까마귀는 까만 제 깃털까지 모두 물어뜯기고 벌거숭이가 된 거야. 벌거숭이가 된 까마귀는 부끄러워 나갈 수가 없게 되었지. "괜히 친구들을 깔보고 예쁘게 보이려다가 단단히 망신을 당했네!"

그때부터 까마귀는 높은 나뭇가지에 앉아 새들만 보면 부끄러워서 "까악, 까악, 미안해!" 하고 울게 되었단다.

이렇게 흘러가는 이야기에는 여러 가지 의미가 있다. 먼저 꾸중을 듣고, 아기의 아픈 마음을 달래주는 할머니의 사랑 그리고 '겉치레보다 속치레 하라'는 속담처럼 고운 것이 좋기는 하지만 고우면 남의 눈에 먼저 보여 행동을 조심하라는 뜻도 있고 사정에 따라 되는 일과 안 되는 일이 있다는 것도 간접으로 경험하게 된다. 얘기란 이렇게 반드시 의미를 주어 도리를 이해시키려는 것은 아니지만 자주 듣고 느끼고 생각하는 사이에 옳고 그른 분별력도 생기고 사회 도덕성도 점차 이해하게 되는 실마리가 된다. 할머니 할아버지도 아기를 사랑하기 때문에 아기에게 해가 되는 이야기를 말하지 않는다. 옛이야기란 책을 읽고 얻어진 지식이 아니고 선대들의 소중한 체험들이 민간 사이에 입에서 입으로 전해 내려오는 사이에 그 사회 정의가 되었고 얼이 되고 혼으로 승화되어 그 진실이 바로 옛 이야기가 되어 긴 세월 입에서 입으로 전해 내려온 것이다. 그러기에 "동화는 한 사람의 혼으로부터 다른 사람의 혼에게 생명의 혼을 전하는 위대한 음신(音信)이다."라고 말하는 학자도 있다. 동화 속에는 꿈이 있고 감동이 있다. 감동은 잘 이해가 되었다는 것을 의미한다. 그리고 "감동은 느낌을 주고 깨달음을 주어 마음속에 오래도록 새겨두어 마음의 등불이 된다." 옛이야기란 선조 들의 위대한 경험의 축적이다. 그래서 오랜 전통을 자랑하는 민족의 얼로서 결집되어 전해 내려오고 있다. 그리고 얘기의 뜻을 보다 알기 쉽게 동물들의 입을 통해 인간의 자만을 풍자하고 누구나 쉽고 재미나는 얘기로 전하는 뛰어난 지혜가 숨어 있다.

죽음의 역경에서 구해 주어도 은혜를 모르는 '함정에 빠진 호랑이' 형제가 냇가를 가다가 물에 빠진 금덩이를 주워 기뻐서 춤을 추다가 금덩이 때문에 형제간의 우애를 상할까봐 금덩이를 강에 던져 버린 「의로운 형제」 이야기. 한 번 넘어지면 삼 년밖에 못산다는 삼 년 고개에서 넘어진 할아버지의 걱정거리를 손쉽게 풀어준 슬기로운 손자의 「삼 년 고개 이야기」, 정렬(貞烈)한 아내가 멀리 일하러 떠난 남편을 기다리다가 그대로 바위가 되었다는 「망부석이야기」, 중국의 사신이 재로 새끼를 꼬아 보내라는 까다로운 요구에 병이 난 임금님을 구해낸 어머님의 지혜는 고려장 제도를 금지시킨 「고려장 이야기」, 친구를 위해 목숨을 내놓고 친구의 의리를 지킨 「의로운 친구 이야기」 등 그밖에도 헤아릴 수 없이 많은 이야기 동화 속에 스며있는 예지는 두고두고 삶의 바른 길잡이가 되었다.

아무리 짤막한 얘기라도 마음에 빈자리를 채워 주는 힘이 되었고 이야기가 주는 감동은 마음의 변화를 일으켜 꿈과 희망을 안겨 주었다. 얘기 속의 진실은 온갖 일의 줄기가 되었고, 겸손함은 예지의 뿌리가 되어 인격 형성에 기반이 되었다. 그리고 아끼고 모아 남을 돕는 것은 모든 사람의 도덕적 의식을 높이는 덕망이 되고 행복의 근원이 되어 서로 협력하고 평화롭게 사는 참으로 소중한 인생의 길잡이가 되었다. 이러한 가르침은 서당이 없고 학교가 없던 시대에도 이런 뜻이 녹아들어 있는 이야기를 듣는 사이에 감동을 받는다. 동화는 어린 마음에 감명을 주어 평생을 동반하는 길동무가 되었다.

나. 할머니는 이야기 전문가가 아니었다

할머니 할아버지의 옛날이야기는 잘하자고 하는 것도, 그렇다고 바른 언어교육을 염두에 두고 하는 것도 아니다. 그리고 많은 이야기를 다양하게 구사하는 전문가도 아니지만, 어린이는 할머니 할아버지의 이야기를 즐겨 듣는다. 비록 같은 이야기를 날마다 반복하여 듣고 들어도 또 듣고 싶은 것은, 그 이야기에 사랑과 정이 넘쳐 흐르기 때문이다. 이 세상에 사랑보다 더 깊은 감동은 없다.

할머니 할아버지는 아기의 생활 속에 함께 있으면서 항상 아기의 마음을 읽어주고 뜻을 받아주며 미래를 걱정하여 준다. 엄마는 할머니 할아버지가 너무 뜻을 받아주어 버릇이 나빠진다고 말하지만, 아이들은 할머니 할아버지처럼 아늑하고 포근한 품을 좋아한다. 바로 정서적으로 안정된 품이기에 마음대로 생각하고 질문하고 실험해보는 사이에 창조적 사고와 행동을 창출할 수 있었다. 어린이의 생활은 놀이의 연속이다. 할머니 할아버지의 이야기도 아무런 부담이 없는 자유롭게 받아들일 수 있는 상상 놀이이기에 할머니 할아버지와의 교감은 다양한 감수성을 길러주고 감동을 담아낸다.

부모와 자녀 간에도 감정을 부정하거나 지식과 기능만을 강요하면 어린이는 어른의 생각 밖으로 벗어나 자기만의 생활을 고집하게 된다. 유아기 어린이의 생활은 잘 먹고 잘 자고 잘 노는 것이다. 다시 말해서 어린이는 생활은 놀이가 전부이다. 어린이는 노는 사이에 필요한 지식과 행동 능력을 시험하게 된다.

어린이는 즐겁고 재미있게 놀 때 앞서 경험한 것들을 실험하고 재구성하는 창조적 경험을 넓혀 간다. 이러한 과정에서 애정의 욕구, 소유의 욕구, 소속의 욕구, 인정의 욕구, 성취의 욕구 등을 감각하고 놀이에 몰두하게 된다. 흔히 어릴 때 모래밭에서 노는 아이가 해가 저무는 것도 모른 채, 배가 고픈 것도 모른 채, 모래놀이에 몰두하다가 뒤늦게 귀가한 경험을 누구나 갖고 있다. 어른은 야단을 치지만 아기는 노는 사이에 얻은 감동으로 또 하나의 세계를 열어간다.

이밖에도 감동이란 사랑을 느끼고, 정을 느끼고, 믿음을 느끼고, 성취의 감을 느끼고, 고마움을 느끼고, 서로 도우면 쉽게 이루어지는 협동심을 느끼고, 창조의 아름다움과 예술의 느낌 등 여러 방면에서 얻을 수 있겠지만 동화처럼 깊은 감동을 주는 것은 없다.

경험이 부족한 그들에게는 가장 안전하고 다정한 할머니 할아버지의 '말하는 이야기 동화' 속에서 얻어지는 새로운 경험이 한없이 기쁘기 때문이다. 어린이는 감동이 넘치는 환경에서 자라야 한다. 그래서 가정은 어린이의 몸과 마음이 바르고 튼튼하게 자랄 수 있는 비옥한 환경이 되어야 한다.

핵가족시대가 되면서 우리 가정은 커다란 모순을 안게 되었다. 사랑하기 때문에 남보다 더 잘되어야 한다는 부모의 일방적인 생각에 따라 자녀를 일찍부터 치열한 경쟁사회로 몰아넣었다. 경쟁사회란 남을 이겨야만 한다. 이기려면 남을 떨어뜨려야 한다. 부모는 날마다 남과 비교하고 이겨야 한다고 격려한다. 날마다 학원가에서 시달리는 어린이는 부모의 참사랑을 기다리고 있다.

참으로 내 아들딸을 위한다면 경쟁 이전에 할머니 할아버지처럼 따뜻한 사랑으로 감동을 줄 수 있는 건강한 가정이 되어야 한다. 말하는 이야기 동화가 있고 듣는 아기가 있는, 살아있는 한 가정의 문을 두드려 보자.

여기 할머니와 손자가 이야기를 나누고 있다 자세히 들어보니 아기와 할머니 사이에 녹아 있는 「함정에 빠진 호랑이」 이야기가 오랜 시간에 걸쳐 주고받은 흔적이 보인다.

다. 동화가 있는 집

"할머니, 호랑이가 왜 함정에 빠졌어?"

"그러게, 말이다. 산속에 왜 함정이 있었지?"

"나쁜 호랑이를 잡으려고 파났지 않아요."

"오, 참 그랬던가!"

"그래서 나쁜 호랑이가 풍당 빠진 거지요."

"그랬지, 하지만 호랑이는 자기를 살려준 나그네에게 말했지."

"할머니, 할머니, 내가 말할게."

"그래, 호랑이는 자신을 살려준 사람에게 뭐라고 했더라?"

"어흥…. 아이고, 배고파, 너를 잡아먹겠다. 어흥!"

"응, 그래그래, 너 참 잘 알고 있구나. 이 할미는 벌써 잊어버렸는데."

"그런데 왜 소나무는 사람을 잡아먹어도 좋다고 했지?"

"사람들이 산에 있는 나무를 자꾸 베어가니까 미워서 그랬겠지."

"응, 그럼 소도 사람들이 일만 시키고 또 고기까지 먹으니까 사람을 잡아먹으라고 했지요."

"그렇지만 토끼는 달랐지."

"할머니, 할머니, 내가 말할게."

"그래 뭐라고 했지."

"호랑이님의 말만 들어서는 잘 모르겠소. 저 함정 속에 어떻게 들어갔는지 처음부터 다시 해 보시오."

"그러자 화가 난 호랑이는 다시 함정 속으로!"

"퐁당 빠졌지."

"응, 그래그래, 너 얘기 참 잘하는구나."

하면서 가볍게 엉덩이를 툭툭 두들겨 주시는 할머니의 사랑은 어린이의 마음속 깊이 스며든다. '말하는 이야기 동화'란 지식을 가르치는 것이 아니라 아기와 어머니가 함께 즐거운 동화나라를 여행하는 것이다. 이러한 즐거운 놀이 사이에 수시로 공통성을 교감하고 보다 두터운 정과 신뢰를 쌓아 가게 된다. 신뢰는 바로 믿음이다. 따라서 어머니의 말씀을 믿고 실천하게 된다. 비록 눈에 보이지 않은 한 토막의 동화를 사이에 둔 대화이지만 이 속에는 사랑과 믿음이 녹아들어 있다. 이렇게 이어지는 이야기가 오랜 세월이 지나 아기가 어른이 되어도 평생 잊혀지지 않는 생생한 기억으로 남게 된다.

이야기 동화는 아기와 엄마 사이의 마음의 가교가 된다. 비록 이야기의 미세한 부분을 잊었다 해도 그때 그 시절에 경험하였던 순수한 사랑의 감동은 누구나 잊을 수가 없다. 아무리 무섭고 흉하고 불행한 이야기를 들었다 하여도 사랑을 바탕으로 하는 이 야기는 감동과 기쁨으로 이어지기 마련이다. 말하는 이야기 동화는 어린이의 영혼을 살찌게 하는 사랑의 양식이기 때문이다.

라. 엄마가 들려주신 이야기

대화가 없는 가족 사이에는 불만이 부푼다. 가족끼리도 서로 마음을 닫고 있으면 불만이 부푼다. 서로 마음을 열고 이야기할 시간이 없기 때문이다. 작은 일에도 이해 가 되지 않는다. 그래서 아이들은 엄마 말에 대들고 어른은 아이를 꾸짖는다. 서로 대 화를 통해서 해결해야지, 아이라고 무시하고 꾸짖으면 불화의 골은 날이 갈수록 커져 만 간다. 성급하게 아이를 꾸짖는 것은 아이들을 엄마 생각 속에 가두려는 것에 불과 하다. 아이의 인격을 믿고 충분한 시간을 갖고 서서히 사랑을 베풀어야 한다. 먼저 엄 마가 신의를 지키고 아이의 생각을 충분히 들어주어야 한다.

지금은 정보화 사회이다. 어떤 경우는 엄마보다도 아이가 더 많은 정보를 가지고 있다. 벌써 엄마의 말에 동참하거나 보다 좋은 생각을 하고 있을지도 모른다. 엄마는 따로 공부해야만 아이들의 말을 이해할 수 있다. 엄마의 권위를 강요하지 말고 공경받 는 엄마가 되려면, 꾸중보다는 왜, 어째서, 이런 결과가 되었는가를 생각하는 엄마가 되어야 한다.

꾸중은 아이들 가슴에 상처를 줄 뿐이다. 아이들의 마음은 백지장과 같아서 꾸짖는 말은 자신의 정당성과 함께 들은 그대로 머릿속에 그림으로 저장된다. 게다가 잊지 않 고 기억하고 있다. 계속되는 꾸지람은 불만과 함께 차곡차곡 머릿속에 쌓일 뿐이다. 이것은 엄마의 다정한 대화가 아니면 풀어지지 않는다.

나에게 보이는 아이의 잘못은 반드시 원인과 과정이 있다. 한 번 더 생각하고 아이 자신이 이해하도록 사랑의 대화로 풀어야 한다. 아이는 어른이 아니기 때문에 실수를 범할 확률이 어른보다 몇 곱절 많은 확률을 가지고 있다. 따라서 실수이지 잘못은 아니라는 엄마의 생각을 잊지 말아야 한다. 이럴 때 잘못을 바로 말하기보다는 우회적으로 재미있는 이야기로 빌려 스스로 뉘우치도록 들려주는 엄마의 차분하고 따뜻한 가슴의 이야기는 아기에게 꿈과 사랑의 정감을 안겨준다. 비록 미세한 이야기는 잊었다 하더라도 엄마의 무릎에 누어 오순도순 들었던 그 순수하고 흐뭇했던 사랑의 감동은 지금도 잊을 수가 없다. 아무리 무섭고 흉하고 불행한 이야기를 들었다 하여도 사랑을 바탕으로 하는 이야기는 감동과 기쁨으로 이어질 따름이다.

이렇게 말하는 이야기 동화는 오랜 세월이 지나도 잊히지 않는다. 「엄마가 들려주신 이야기」. 이 소설 제목 같은 이야기가 엄마가 된 지금도 생생하게 기억되는 것은 어머니께서 애정을 가지고 들려주셨다는 하나의 이유뿐이다. 앞에서 설명한 「동화가 있는 집」에서와 같이 하나의 이야기를 중심으로 꾸준히 이야기를 주고받는 이야기 동화의 설정은 대단히 중요하다. 직설적으로 꾸중하기보다는 즐거운 이야기 속에서 자신의 잘못을 뉘우치게 하는 우회적 방법은 상처를 주지 않고 좀 더 신선하고 즐거움 속에 마땅히 그렇게 해야만 하는 당위성과 지혜, 논리적 조리 그리고 뛰어난 예지와 도덕 등을 스스로 생각하고 분별하는 성과를 얻게 된다. 바로 이것은 어머니의 따뜻한 이야기가 주는 사랑의 결실이라고 본다.

'말하는 이야기 동화'는 어린이의 영혼을 살찌게 하는 사랑의 양식이기 때문이다. 이러한 말하는 동화가 있는 가정환경 속에 자라는 어린이는 자연히 어른을 공경하고, 감사할 줄 알고, 남의 좋은 점을 칭찬할 줄 알고, 내 할 일은 내가 하고, 약속을 잘 지키는, 아름다운 인성을 갖추게 된다.

마. 동화가 있는 행복한 집

현대는 핵가족시대이기에 이야기해 줄 할머니 할아버지가 안 계신다고만 한다. 다시 말해서 꼭 전문가에 의해서 조리 있게 잘 들려주어야 잘한다고 생각하고 있기 때문이다. 그러나 엄마가 어렸을 때 들려주시던 할머니 할아버지는 전문가가 아닌데도 추억 속에 그때 그 이야기가 살아남아 있다. 티 없이 맑고 깨끗한 어린 뇌리에 감동이란 이름의 큰 붓으로 깊이 새겨 주었기 때문이다. 할머니 할아버지의 사랑과 이야기의 감동은 나도 모르게 일생의 '좌우명(座右銘)'처럼 기억되기 때문이다.

'나도 콩쥐처럼 착하고 부지런하게 살아야지.' 왜 이렇게 강한 의지가 나도 모르게 내 인생의 지표가 되어있을까. 참으로 신기한 일이다. 이것은 이야기의 내용도 중요하지만, 이야기의 바탕에 할머니 할아버지의 숭고한 애정이 깔려 있다는 것을 잊어서는 안 된다. 내가 말하는 이야기 동화가 조금 서툴면 어떠한가. 참다운 사랑이 있다면 어떠한 흠집도 사랑으로 다 메워진다. 서슴지 않고 아이들에게 내 진심을 말하는 이야기 동화를 통하여 행복이 가득한 집이 된다. 안다는 것은 바로 실천하면서 진실을 아는 것이다.

"엄마, 엄마, 얘기해 주세요." 하는 아기의 말을 듣는 엄마가 가장 행복한 엄마이다. 어느 가정이나 엄마 아빠와 아기가 벽이 없이 오순도순 자유롭게 주고받을 얘기가 있어야 행복한 가정이다.

"밥 먹고 공부해!" "학원에 갔다 와서 피아노 세 번 쳐!" 이런 말들은 명령이고 사생활의 자유와 자율적인 활동을 막는 말이다. 이러한 일들은 말하지 않아도 이미 어릴 때부터 습관화되어 있었어야 할 일이다. 아이를 볼 때마다 "뭣하냐, 숙제는 했느냐, 피아노 쳤느냐, 약 먹었느냐, 책 몇 번 읽었느냐, 공부했느냐", 이렇게 말하는 엄마가 있다면 처지를 바꿔 생각해보자. 얼마나 지겨운 환경이겠는가. 가정은 두 가지의 기능을 갖는다고 한다.

하나는 보호 기능이다. 어린이는 건강한 몸과 꿈을 키워가는 좋은 환경으로 보호받아야 한다. 또 하나는 사회화 기능이다. 가정은 가장 작은 단위의 사회로서 자율자활의 능력을 길러 장차 큰 사회로 가는 준비단계의 훈련장이라고 할 수 있다. 만약 위와 같은 조건 밖에서 자란 아이라면 사회에 나가도 자율성이 없고 누군가 잔소리를 해야만 움직이는 피동적인 인간이 되기 쉽다.

그러나 할머니 할아버지는 이러한 일들을 극복하고 우리가 생각하는 옛날과 오늘을 이어주는 가교이다. 그분들은 지금처럼 많은 정보를 얻을 수도 없었다. 그렇다고 전문적인 학습을 한 것도 아니다. 전통적으로 아기는 애정을 가지고 길러야 한다는 상식이 전부였다. 그러나 훌륭한 자녀를 길러냈다는 것은 오직 할머니 할아버지가 애정을 가지고 이야기를 들려주었다는 하나의 이유에 있다.

유아는 자기가 좋아하는 말을 되풀이하는 것을 좋아한다. 이러한 유아들의 심성을 응용한 노르웨이의 민담은 운율적이고 반복이 많은 아주 재미있는 이야기이다.

동화 2 – 떼굴떼굴 굴러가는 빵(입말이 살아 있는 동화)

옛날 어느 산마을에서 엄마가 아이들을 위하여 빵을 굽고 있었어. 우유와 계란으로 반죽을 하고, 거기에 달콤한 꿀을 넣고 프라이팬에 구면 맛있는 빵 냄새가 솔솔 온 집안에 퍼지는 거야. 그러면 누가 모이라고 말하지 않아도 온 가족이 모여들거든. 빵이 프라이팬에서 부풀부풀 맛있게 부풀어 가면.

"야 정말 맛있겠다."

"빨리 익었으면 좋겠다."

배가 고픈 일곱 명의 아이들은 침을 꿀꺽 삼키며 말했지.

"엄마. 나도 먹고 싶어. 나 한 입만…"

참다못해 막냇동생이 말했어.

"마음씨 착한 엄마! 나도 한 입만…"

여섯째도 말했어.

"마음씨 착하고 예쁜 우리 엄마. 나도 한 입만…"

이번에는 다섯째 언니도 아주 상냥하게 말했어.

"마음씨 착하고 예쁘고 친절한 우리 엄마. 나도 한 입만…"

넷째도 상에 턱을 받치고 말했지.

"마음씨 착하고 예쁘고 친절하고 상냥한 우리 엄마. 나도 한 입만…"

셋째 형도 말하는 거야.

"마음씨 착하고 예쁘고 친절하고 상냥하고 멋진 우리 엄마. 나도 한 입만…"

하하하 둘째 형도 말하는 거야.

"마음씨 착하고 예쁘고 친절하고 상냥하고 멋지고 건강한 우리 엄마. 나도 한 입만…"

마지막으로 제일 큰언니도 말했지. 아이들은 모두들 먼저 말한 아이보다 더 멋진 말로 엄마를 기분 좋게 해드렸지. 그래서 엄마도 기분이 좋아서 "그래그래 조금만 기다려 곧 빵이 구워지면 너희들에게 나누어 줄게, 자! 이제 뒤집기만 하면 된다!"

"야! 신난다."

아이들은 신이 나서 소리쳤지만. 빵은 엄마의 말을 듣고 깜짝 놀랐어.

"뭐? 내가 뒤집힐 줄 알고?"

그러자 엄마가 프라이팬을 살짝 들어 올리니까 빵이 뒤집혔지.

"어, 어! 이래서는 안 되는데…"

조금 단단해진 빵은 생각했지, 바로 이때 엄마가 빵을 다시 뒤집자

빵은 힘껏 튀어 올라 프라이팬 밖으로 굴러 나왔어.

그리고 떼굴떼굴 구르기 시작한 거야. 그러자

"어, 어, 빵이 도망가네."

"어, 어, 빨리 잡아라!"

소리치면서 모두 빵을 뒤쫓아 갔지.

앞에서 뛰어가던 엄마가 프라이팬으로 빵을 잡으려 했지.

"잡힐 줄 알고?"

빵은 눈 깜짝할 사이에 도망쳐 버린 거야. 떼굴떼굴 떼굴….

"잡아라. 잡아!"

빵은 떼굴떼굴 굴러가다가 어떤 할아버지를 만났지.

"야, 맛있게 생긴 빵이로구나!"

"안녕, 할아버지!"

"얘, 왜 그렇게 빨리 가니…. 내가 먹을 텐데…."

"미안해요, 할아버지. 지금 아주머니와 일곱 명의 아이들로부터 도망치고 있어요.
할아버지 안녕!"

빵은 할아버지 가랑이 사이로 살짝 빠져 도망을 쳤어. 그러자 수탉을 만났지.

"꼭, 꼬꼬, 빵이로구나!"

"안녕 수탉!"

"맛있겠다! 잠깐 기다려. 조금 먹어보자"

"수탉아, 미안해 지금 아주머니와 일곱 명의 아이들과 할아버지로부터 도망치고
있어. 너에게 붙잡힐 수 없어."

빵은 자동차 바퀴처럼 굴러가 버렸어. 한참 가다가 이번에는 암탉을 만났지.

"야! 너, 빵 아니야?"

"암탉, 안녕!"

"난 네가 먹고 싶은데…."

"암탉, 미안해 지금 아주머니와 일곱 명의 아이들과 할아버지와 수탉으로부터 도망치고 있다. 너에게 잡아먹히고 싶지 않아."

빵은 떼구루루 빠른 속도로 도망가 버렸어.

이번에는 꽥꽥 오리를 만났지.

"야! 빵, 빵이로구나!"

"안녕, 오리야!"

"뭐가 그렇게 바쁘니. 내가 먹어줄게."

"미안해. 나는 아주머니와 일곱 명의 아이들과 할아버지와 수탉과 암탉으로부터 도망치고 있어. 너에게 잡히고 싶지는 않아."

빵은 다시 떼구루루 굴러가다가 거위를 만났지.

"어어? 빵이잖아?"

"안녕, 거위야?"

"잠깐 기다려. 맛있겠는걸."

"미안해. 나는 아주머니와 일곱 명의 아이들과 할아버지와 수탉과 암탉으로부터 도망치고 있어. 너에게 잡아먹힐 수 없어."

이번에는 돼지를 만났어.

"안녕, 빵이로구나! 꿀꿀."

"응, 너 돼지 아니야?"

"응, 그래, 그런데 왜 그렇게 바쁘니? 숲속은 무서워, 나하고 함께 가자."

"그래, 그러자." 둘은 사이좋게 걸어갔지.

그러자 강이 나타났어. 빵은 헤엄칠 수가 없었어. 통통하게 살진 돼지는 강물에 둥둥 떠서 말했지.

"걱정하지 마. 내 코에 타렴. 내가 강을 건네줄게."

빵은 돼지 코에 살짝 올라탔지.

"흥흥 흐흐, 흥흥 흐흐!"

돼지는 코를 쿵쿵거리다가 입을 벌리고 빵을 꿀꺽 삼켜버리고 말았어.

이 이야기는 노르웨이의 민담으로 유아기 어린이가 좋아하는 반복과 리듬이 같이하는 유머러스한 이야기로 유아들의 흥미를 끄는 이야기이다. 엄마가 굽는 빵을 기다리면서 어머니의 비위를 맞추는 아이들의 말과 이야기의 상황이 변할 때마다 새롭게 반복되는 이야기를 듣고 나면 저절로 이야기 줄거리를 외워버리게 되는 장점이 있는 즐거운 이야기다. 이만한 이야기 하나쯤 가족들 사이에 화제로 있다면 가족들의 잘 잘못을 직설적으로 얘기하는 것보다는 이런 얘기에 실어 즐거운 가운데 간접적인 대화로 충분히 의사전달을 할 수 있어 명랑하고 행복한 가정 분위기가 된 것이다.

3. 뱃속에서부터 듣는 이야기

아기는 어머니와 이야기하는 것을 무척 좋아한다. 아기가 엄마의 태 안에 있을 때 엄마에게 처음으로 배를 툭 치면서 '엄마', 하고 신호를 보냈을 때 얼마나 신기하고 기뻐했던가. 엄마는 지금도 생생하게 기억하고 있을 것이다. 아기는 태어나기도 전에 엄마와 대화를 하고 싶어 했다. 그때 엄마도 눈에 보이지는 않지만, 아기에게 사랑을 주고 얼마나 큰 소망을 속삭였던가. 아기의 대답은 없었어도 그때 일을 다 알고 있다. 그래서 예부터 태교의 중요성을 말하고 있다. 그러기에 태어나면 울다가도 배 안에서 듣던 소리에 귀를 기울이며 울음을 그치고 기분을 전환한다. 동물은 태어나면 바로 일어서서 활동을 시작하지만, 만물의 영장인 사람은 이때부터 서서 걷기까지 현실 생활에 적응력을 기르는 태외(胎外) 생활이 시작된다.

이 가운데 가장 먼저 활동을 시작하는 것이 바로 언어생활이다. 언어는 인간이 더불어 살아가는데 소중한 의사 표현의 도구로서 사람들을 정신적 사회적으로 엮어주는 가장 중요한 결합 연대라고 할 수 있다. 아기는 언어를 배우기 전에 먼저 상대의 언어를 이해하는데, 실험적 노력을 한다. 다른 언어를 이해하는 데는 음성만으로 이해하는 것이 아니라, 언어에 따른 상대의 표정이나 몸짓 등 이미 알고 있는 경험을 토대로 이해를 한다. 이렇듯 엄마가 들려주는 이야기는 잘 이해하고 있다. 특히 돌을 전후하여 말을 시작할 때는 상대가 있건 없건 놀면서 달리면서 먹으면서 재잘재잘 즐거운 혼자 말을 하고 눈앞의 물건에 이름을 모르면 자기 나름대로 이름도 잘 붙인다.

뛰어난 상상력과 경험을 토대로 이야기를 좋아하는 이 시기에는 기억력이 좋다. "나도 봤어.", "아빠하고 같이 갔어." 등 과거의 경험도 잘 말한다. 그리고 왜 하고 반문하면서 생각에 젖는다. 이렇게 의욕이 왕성하여 한번 경험한 것에 대한 이해가 빠르며 불편한 이름은 편리하게 창작하여 말하는 이 시기의 어린이들에게 엄마의 이야기는 두고두고 생각하는 힘을 길러준다. 우리는 누가 특별히 말해준 적이 없어도 어렴풋이 어릴 때의 기억을 지금도 살려낸다. 이것은 오랫동안 어릴 때 들은 이야기가 사고의 기준이 되어 왔기 때문이다. 평생 간직하는 이야기- 아기의 지적 도덕적 표준이 되는 한마디 말이라도 재미있고 표정이 있는 말로 즐겁게 이야기를 들려준다면 평생 창의적 사고와 도덕적 행동의 기준이 된다.

가. 이야기꾼과 옛이야기

'이야기꾼'은 장꾼, 소리꾼, 춤꾼, 나무꾼과 같이 어떤 일을 전문적 습관적으로 하는 사람이라는 뜻으로 '이야기꾼'은 사전에 이야기를 남보다 재미있게 잘하는 사람이라는 순수한 우리말이다. 지금은 우리 생활 주변에서 이야기꾼이라는 말이 희석되어가고 있지만, 전에는 여러 가지 유형의 이야기꾼이 있었다. 한 마을에는 공동으로 하는 일이나 혼사나, 시제와 같이 마을 사람이 모이는 일이 있을 때면 그 마을의 역사나 조상들의 이야기 민화 등을 전승하는 이야기꾼이 있었다.

그리고 때때로 장터나 여인숙을 겸한 주막을 찾아드는 봇짐장수 보부상들이 이 마을 저 마을 다니면서 얻어들은 세상 이야기와 새 소식도 전하고 밤이면 장황한 민화나 옛이야기를 들려주는 이야기꾼이 있었으며 판소리로 들려주는 광대, 떼를 지어 떠돌아다니면서 가면극이나 인형극을 통해 서민들의 한을 시원스럽게 토로해 주는 사당패, 괴나리봇짐을 지고 방방곡곡을 다니면서 민중의 한을 달래주는 이야기로 하룻밤 신세를 지고 가는 나그네, 산천을 두루 살펴 서민의 소망을 달래주며 묏자리나 집터를 잡아주는 풍수의 달콤한 이야기, 모두 이런저런 이야기를 즐기며 방방곡곡에 옛이야기를 전승하는 이야기꾼이었다. 그리고 우리 가정에는 사랑으로 전해주시는 할머니 할아버지가 계셨다.

서양에도 역시 우리처럼 옛이야기뿐만 아니라 여러 가지 영웅담, 역사담, 전설, 민화, 옛이야기와 시를 읊기도 하는 '스토리텔러(story-teller)'가 있다. 그들도 선대로부터 전해 받은 이야기를 누군가에게 들려주고 있을 것이다. 언제 어디서, 어느 시대인지도 알 수 없는 멀고 먼 옛날부터 전해 내려온 가지가지의 이야기를 민화(民話)라고 말한다. 언제 들어도 또 듣고 싶은 따뜻한 느낌 속에 어쩐지 마음이 끌리는 옛이야기. 그것은 그만한 이유가 있다. 엄격한 세속에 묶여 묵묵히 살아온 민중들의 가장 현실적인 소망은 쌀과 돈과 집과 고운 옷이며, 좋은 배우자를 맞이하는 일이었다. 이러한 민중의 현실적인 소망을 낭만적이고 상상적인 형태의 이야기에 담아 냉엄한 현실을 주시하고 인간성의 본질을 예리하게 반영했기 때문에 민중들 사이에 자자손손 전승되어

지금에 이른 것이 옛날이야기이다.

지금처럼 핵가족 시대엔 오순도순 옛이야기를 들려주는 어른이 없는 가정이 증가하고 있다. 혹여 있다고 하여도 어른은 바쁘고, 어린이는 옛이야기를 듣기보다는 그림책이나 텔레비전이나 컴퓨터 게임에 빠져 입으로 말하는 이야기는 거의 들을 수 없게 되었다. 그뿐 아니라 할머니 할아버지에게 들은 옛이야기를 기억하는 부모도 거의 없는 실정이다.

'우리'라는 공동체 속에 자리 잡은 전승 문화가 잊히고 있는 현대에 사는 우리가 우리 후손에게 우리의 얼과 자존심을 어떻게 전해야 좋을 것인가. 지금쯤 누구나 한 번쯤 생각해봐야 할 때이다. 최소한 내 가정의 아들딸에게는 내가 내 입으로 말하는 이야기 동화를 전하고 내 이웃과 어린이 교육장에는 자원봉사 활동하는 '볼룬티어(volunteer)'로서의 이야기꾼이 되어 적극적인 활동을 전개하여야 한다.

말하는 이야기 동화란 어린이의 내면적 성장을 도울 뿐 아니라 잊혀가는 옛이야기를 우리 마음속에 되찾고 중요한 문화유산으로 후세에 전해야 할 것이다.

나. 동화의 세계

동화는 크게 나누어 환상적인 세계를 그린 '공상 동화'와 어린이의 생활 주변에서 일어나는 일이나 그 생활을 투영한 '현실 동화'가 있다. 그러나 어린이를 위한 동화는 성인의 소설이나 소년 소녀의 동화처럼 둘로 구별하기는 어렵다. 공상 세계를 그려도 어린이에게는 현실 생활의 연장이며 역으로 현실 생활을 그려도 공상 세계로 연관하는 연상의 중첩은 어린이가 공상과 현실이 접목되는 세계에 살고 있기 때문이다.

어릴 때 달나라에서 옥토끼가 방아를 찧고, 불개가 해를 물어 가는 이야기를 들었을 때 불가사의한 이야기에 거부감을 느끼기보다는 새로운 사실로 더욱 호기심을 드러내는 이야기에 흥미가 있었다. 이런 점이 어른과 어린이의 차이일지 모른다. 어릴 때의 경험으로는 모든 물질은 살아 움직이고 의식이 있어 즐거운 이야기를 나눌 수 있는 물활론(物活論)적 심성을 가지고 자랐다.

인지발달 연구의 선구자인 피아제(Jean Piaget · 1896~1980)는 물활론의 개념이 어린이의 나이에 따라 다음과 같은 경향을 나타낸다고 말하고 있다.

제1단계〈4~6세〉: 능동적인 사물은 모두 의식을 가진다고 생각한다.
제2단계〈6~7세〉: 사람이나 자동차와 같이 움직이는 것은 의식을 가졌고 집이나 의자 따위는 의식이 없다고 이해한다.
제3단계〈8~10〉: 자력과 타력에 의하여 움직이는 것을 본질로서 구분한다. 가령 해나 구름처럼 혼자의 힘으로 움직이는 것은 의식이 있으나 외부의 힘으로 움직이는 자동차는 의식이 없다고 생각한다.
제4단계〈11세 이후〉: 사물을 분류하는 의식이 분명해진다.

이와 같은 피아제의 이론에 찬반은 따로 두고라도 어린이의 사고 작용을 이해하는데 매우 중요하다. 이런 경향의 사고를 바탕으로 생각해보면 유아들은 공상 세계를 받아들일 수 있는 마음의 밭을 지니고 있다고 보아야 할 것이다. 동식물은 물론 광물, 해와 달과 별, 그리고 눈으로 볼 수 없는 존재까지도 말을 하며 친구가 되어 함께 활동하는 것이 바로 유아의 생활이며 생활 속에 가능해진다.

유아의 상상력은 왕성하다. 공상의 세계란 바로 소망의 세계이다. 일상생활에서 이루지 못한 꿈을 공상이나 상상의 세계에서 이루려고 한다. 상상력은 발견, 발명되고, 종교와 철학이 된다. 우리는 유아들의 생활 속에서 상상력이 얼마나 아름답게 나타나고 있는가를 알고 있다. 유아들의 그림 속에서, 천진난만한 놀이 속에서, 언어 속에서 그들이 부르는 노래에서 천사와 같은 아름다운 세계를 찾아볼 수 있다. 공상과 상상은 유아의 가장 건전한 생활의 터전이다.

이것이 도리어 자연스러운 것이다. 인간이 자연에 태어나 자연과 더불어 살아가는 현실과 꿈의 세계를 자유 분망하게 오고 가면서 마음대로 상상하고 마음대로 꾸미고 마음대로 날아다니며 꿈을 그리는 세계 이것은 오직 유아기의 동화의 세계가 아니면 꿈꿀 수 없는 신비한 세계이다. 유아기는 누가 가르쳐 주지 않아도 무한한 공상의 세계가 바로 그들만이 살아 움직일 수 있는 생명력을 느끼기 때문일 것이다.

인류가 집단생활을 하게 되고 농사를 지어 먹고살기 위하여 자연에 도전을 시작할 때부터 이야기는 시작되었다. 하늘의 노여움과 미지에 대한 공포, 천동 번개와 홍수 천재지변, 다른 동물의 위협, 조금도 마음을 비울 수 없는 삶의 두려움 속에 자연을 극복하고 살아남은 소중한 이야기 그리고 살기 위하여 연장을 만들고 먹이 사냥을 했던 귀한 이야기, 이 수많은 이야기를 꼭 전하고 싶었다. 이 이야기 속에는 천지창조와 인류의 삶에 얽히고설킨 이야기 힘센 동물의 우둔하고 유쾌한 이야기, 인간의 생활에 없어서는 안 될 물, 불, 식량에 얽힌 이야기, 젊어지는 샘물, 산이 걸어온 자연의 변천 이야기, 도깨비에게 홀린 이야기 등 삶의 경험을 통하여 공상의 힘을 얻어 신화를 창조하고 미래를 염려하여 남겨둔 이야기는 오늘날 가장 소중한 인간의 삶의 역사이며 삶의 교훈으로 꼭 겪어야 할 이야기들이 남아 있다.

이것은 인간의 삶과 역사가 남겨 준 문화유산 중에 가장 위대한 무형의 언어 문화유산이다. 입에서 입으로 구전되면서 더욱 세련되고 긴 세월을 내려오면서 시대에 걸맞지 않은 부분은 어느새 쓸모없이 깎여 없어지고 인간이 살아가는데 가장 소중한 부분은 더욱 강조되고 또 다른 경험이 첨가되어 우리에게는 커다란 교훈으로 남아 있다. 언어가 모자라면 현지의 암벽이나 동굴에 그림을 그려 남겨 주었기에 우리는 지금 그 문화유산을 보면서 역사를 말하고 그 시대를 이해하고 상상을 불러일으키며 예술적인 창조의 힘을 자극하였다.

그러기에 동화는 어린이에게 감동을 주고 꿈을 키워주는 가장 아름다운 세계이다. 동화는 바로 예술이다.

다. 현대 어린이와 동화

현대 어린이는 핵가족화되면서 문화 환경이 달라져 가고 있다. 옛날과 같이 할아버지 할머니의 정성 어린 동화보다는 텔레비전의 활동적인 인형극이나 만화 등의 환경에 파묻혀 할아버지 할머니가 들려주시던 동화의 세계에선 멀어져가고 있다. 이것은 과학 문명의 발달로 어린이의 상상이나 공상 세계를 뛰어넘어 보다 흥미롭고 호기심을 불러일으키는 프로그램이 어린이들의 취향을 바꿔 놓았기 때문이다.

더욱 자본주의 경제 체제에서는 맞벌이 부부가 증가하고 있는 현실에 가정에 남아 있는 어린이들은 심한 고독감을 느끼며 우울한 심성과 매사에 자신감을 잃어간다. 부모는 아이들의 취미 활동을 권유하며 각종 학원으로 보낸다. 어린이는 부모가 기대할 만큼 안정되지 못한다. 그래서 집에 돌아오면 고독한 어린이는 텔레비전만 의지하게 된다. 거기서 아직 간접으로나마 경험해서는 안 될 바깥세상의 악을 몽땅 익히고는 무서워서 바깥출입을 못 하게 된다.

물론 라디오나 텔레비전에서도 동화적 분위기에 젖을 수 없는 것은 아니다. 다만 성장기 어린이에게 필요한 다양한 정서보다는 어린이의 공상이나 상상력을 깨트리고 언행이 거칠고 거짓이 많은 터무니없는 황당무계한 이야기 줄거리로 이어지는 위험을 안고 있기 때문이다. 하늘을 나르고 변신을 하고 무적의 힘을 자랑하며 불가능이 없는 무한한 힘은 공상의 꿈을 실어주기보다는 영웅심이나 개인주의를 조장하여 가정이나 사회에 적응하지 못하는 안타까움을 지울 수가 없다.

이러한 일들은 끊임없이 어린이를 유혹하고 있으나 가정은 이를 다스릴만한 슬기를 잊고 있다. 한쪽으로는 알고 있으면서도 어쩔 수 없는 현실 속에 있다. 맞벌이 생활은 차분하게 아이들과의 대화도 어려운 상황이다. 더구나 근래에 문제점으로 떠오르는 개인주의의 팽창으로 엄마의 생활도 무척 바쁜 생활을 보낸다. 가정에서도 흔히 엄마를 찾는 아이에게 "잠깐만 엄마 이것 좀하고 심심하면 텔레비전 보고 있어" 하고 친절하게 이해를 구한 듯 보이지만 무방비 상태에 개방한 것과 같으며 아이의 불만은 이를 데 없다.

그리고 무분별하게 텔레비전 채널을 선택하여 볼 것, 안 볼 것을 가리지 않고 모두 다 보게 된다. 분명한 것은 텔레비전 당국에서도 어린이가 볼만한 프로는 설정해두고 있다. 그러나 우리 가정에서는 이것마저 지키지 못하고 있어서 텔레비전은 문화의 이기가 아니라 문화의 둔기로 어린이 정서를 침해하는 문제점을 안게 된다. 요사이 핵가족으로 바쁜 젊은 엄마 아빠들의 사이에서 예스러운 이야기를 듣기는 대단히 어렵다. 그렇지 않은 가정도 있겠지만 이러한 일반적인 영향을 받아 어린이는 갈수록 개인주의에 빠지고 도덕성을 상실하며 좋은 인성이 허물어 가는 것은 안타까운 일이다.

우리는 우리가 겪어왔던 어린 시절을 생각해보자. 밤이 되면 할머니에게 감당도 못하면서 무섭고 긴 이야기를 해달라고 졸라댔다. 이야기를 들으면서 가슴이 조이고 어둡고 으슥한 곳이 모두 생각났다. 그리고 그곳에서 이야기의 주인공이 뛰어나올 것만 같았다. 이렇게 무서우면서도 왜 이야기를 들었을까. 할머니는 무서움에서 나를 지켜준다고 믿었기 때문이다.

그리고 할머니 아니면 들을 수 없는 이야기, 할머니가 직접 경험했다는 수많은 이야기를 배웠기 때문이다. 이야기 속에는 민족의 숨결과 삶의 지혜가 듬뿍 담기어 있고, 아름다움과 꿈이 새겨져 있다. 그리고 할머니의 사랑과 정이 넘쳐흐르기 때문이다. 우리는 어릴 때 이러한 경험을 잊을 수가 없다. 우리는 동화를 통하여 인간의 존엄성과 꿈을 그려갈 수 있는 지혜를 가정 안에서 이미 배워 왔다.

요즈음은 엄마 아빠의 숨결이 담긴 정다운 동화를 들을 수가 없다. 어린이가 동화를 싫어하는 것이 아니라 어른이 동화의 세계를 잊어버린 것이다. 더욱 핵가족 시대를 맞아 할머니 할아버지를 만나는 기회조차 어렵게 되었다. 그러나 어린이는 동화를 좋아한다. 과연 동화 속에는 무엇이 들어 있기에 그토록 이야기를 좋아하는 것일까.

라. 어린이가 좋아하는 동화

어린이에게 동화는 시간과 공간을 넘어서 공상 세계로 끌고 가는 마력이 있다. 동화 속에는 국경이 없으며 우주나 바다, 땅속도 마음대로 넘나들며 무한한 가능성을 안겨준다. 동물이 말을 하고 식물도 말을 한다. 그리고 동식물 모두가 내 편이고 나를 따른다. 무기물이 유기물로 살아 움직이고 생각을 하고 초자연적인 환상을 그려준다. 이야기 속에서 아무리 두려운 존재가 있어도 인간의 예지 앞에는 무릎을 꿇는다. 이것은 사실 어린이의 꿈이라기보다는 인류의 오랜 꿈이며 창조의 욕망일지도 모른다.

동화는 단순히 여기서 끝나는 것은 아니다. 잠자는 꿈속에서까지 주인공이 찾아와 사건의 해결을 고민한다. 이야기 동화는 잠시도 쉬지 않고 머리를 활동시키며 새로운 창조의 힘을 불어넣어 준다. 그리고 인간이 살아가면서 반드시 알아야 할 소중한 경험과 체험담이 살아 움직이고 있다.

동화 속에는 아무리 작은 일이라도 공동체를 의식하고 질서를 의식하고 신의를 지키고 정의와 노력하는 자는 살고 노력하지 않는 자는 망한다는 진리를 자연스럽게 터득하게 한다. 이것은 자기 삶에 무한한 기쁨이며 무형의 이야기가 주는 위대한 교훈이다.

일찍이 신은 인간에게 어릴 때부터 이러한 욕망을 줬는지도 모른다. 왜냐하면 애초에 인간에게 생각할 힘과 무한한 가능성을 줬기 때문이다. 이것을 학습으로 터득하게 하려면 평생을 공부방에 앉아 있어도 어려울 것이다.

동화는 어린이의 생활 속에 밀착되어있다. 이야기 줄거리가 쉽고 재미있고, 주인공을 비롯해 동물, 식물, 괴물하고도 자유롭게 대화할 수 있다. 동화 속에는 아무런 구속력이 없다. 그러기에 나도 동화 속의 당당한 일원으로 의견을 말할 수 있고 비록 작은 경험들이지만 동화를 들으면서 자유롭게 이야기할 수 있으며 재구성할 수도 있고 꿈을 그려갈 수 있다. 동화는 어린이들의 자유로운 창작 세계이다.

어린이가 동화를 좋아하는 것은 창조의 세계에 들어와 최초의 문학과의 만남에서 감동을 경험했기 때문이다. 인간은 누구나 이 첫 번째의 경험을 영원히 간직하려 한다. 그것은 또 하나의 새로운 세계를 발견한 감동과 행복감, 그리고 희망과 무한한 가능성을 잊을 수 없는 추억으로 남겨 주기 때문이다. 문학과의 만남 이것은 인격 형성에 크나큰 영향을 주게 된다. 바로 동화의 교육적 의의는 여기에 있다.

마. 동화의 교육적 의의

유아기는 앞서 말하였듯이 현실과 공상의 한계선이 없으며, 생각하고 상상하는 즐거운 마음과 사실대로 알고자 하는 마음, 탐구하려는 마음이 강하게 작용하는 시기이다. 평소 엄마의 말과 이웃과의 대화 속에서 특히 줄거리가 있는 이야기 동화는 지적 호기심을 자극하고, 행동의 동기를 주고, 지금까지 경험한 일들을 확대하고 재정리하면서 인식이나 이미지를 좀 더 확실하게 구축한다. 이러한 일들은 대단히 바람직하다.

과학문명이 발달한 현대 사회에서는 텔레비전, 녹음기, 슬라이드, 환등기 등 시청각적 매체가 곳곳에서 어린이를 유혹하고 있다. 물론 이러한 매체들이 어린이의 성장 과정에 효험이 없는 것은 아니지만 사람과 사람 사이에 오고 가는 정과 마음의 교류가 있을 수 없는 결점이 있다. 아무리 신기하고 재미있는 영상으로 매료시키려 해도 엄마의 정보다는 못하다. 엄마는 보호 본능의 표상으로 그 어떤 것으로도 대비할 수 없는 사랑이 있다. 이것은 또한 엄마와 자녀의 상호 작용으로 어떤 경우라도 엄마를 보면 먼저 모든 긴장이 풀리고 차분하고 편안하다. 엄마의 말씀은 삶의 지침이며 모성애의 참 빛이다. 지금의 엄마 아빠는 어릴 때 엄마 이야기를 듣고 자랐다. 그 옛이야기 속에는 참으로 내 아들과 딸에게 바라는 참사랑이 흘러들었다. 반드시 삶에 유익한 이야기만 해주셨다.

이렇게 들려주는 이야기는 텔레비전 등에서는 기대할 수 없는 효과가 있다. 엄마나 교사가 직접 들려주는 이야기, 그 속에는 기쁘고, 슬프고, 분개하는 생생한 인간적 감정이 직접 아이에게 전달된다. 말하자면 '감정이입(感情移入)'에 의해 아기들의 감정 발달에 커다란 영향을 미치게 된다.

또 이야기를 들려주는 사람은 이야기를 듣는 어린이의 기분을 즉석에 받아들이면서 상황에 따라 현장 분위기에 맞추어서 이야기를 진행할 수 있기에 듣는 사람의 주의를 자기에게 집중시킬 수 있다.

어린이에게 동화를 들려주는 목적과 특징을 찾아보자면 먼저 이야기를 들으면 어린이의 마음속에 가라앉아 새로운 세계의 문을 여는 계기가 된다. 말로 그려지는 정경은 어린이의 마음속에 그림이 되어 그 속에 또 다른 이야기들이 차례차례 그려진다. 어머니나 교사가 들려주는 이야기 속에는 어떤 것이 숨어 있고 어린이의 무엇을 도와주는지 간단히 살펴보자.

① 바람직한 인간관계와 사물을 바르게 보는 심성을 기른다.
② 풍부한 상상력과 공상력을 기른다.
③ 정서 발달을 촉진하고 풍부한 정조를 기른다.
④ 이야기를 듣는 태도와 능력을 기른다.

⑤ 장래 독서 생활의 기초를 기른다.

⑥ 고운 말을 쓰고 바르게 말을 하고 문자에 흥미와 관심 등 언어능력의 기초를 기른다.

⑦ 인지력과 사고력을 기른다.

위와 같이 말할 수 있으나 어린이와 동화와 관계되는 중요성에 대해서 본질적인 파악이 더욱 필요할 것이다.

제 2 장

'말하는 이야기 동화'란 무엇인가

1. 이야기 속 상상의 세계

누구나 어린 시절이 있듯이 어릴 때는 이 세상의 모든 것을 다 알고 싶어 한다. 눈에 보이고 귀에 들리는 소리, 이상한 냄새, 알 수 없는 새콤달콤한 맛, 이것들은 무한한 상상의 세계를 그려준다. 산에서 바다에서 하늘에서 그리고 땅속에서 별의별 사건을 일으키고 재주를 부리며 울고 웃고 놀라고 숨고 날고 변신하는 상상의 세계, 이것이 바로 어린이들의 이야기 속에 상상의 세계이다.

어린이는 바로 이야기 속의 주인공과 함께 꿈을 꾸고 이야기 속에 꿈을 키워간다.

가. 엄마 얘기해 주세요!

"엄마 얘기해 주세요!" 아이가 엄마에게 원하는 말이다. 이러한 말을 듣는 어머니가 참으로 어린이에게 사랑받는 훌륭한 어머니이다. 아들딸이 엄마 무릎에 앉아, 한쪽 귀로는 엄마의 이야기를 들으며, 한쪽으로는 상상의 세계로 날아간다. 엄마는 따뜻한 사랑의 숨결로 이야기 속에, 아들딸에 바라는 꿈을 그려간다.

동화 3 – 엄마, 엄마 얘기해주세요(치료의 동화)

"엄마, 옛날이야기 해주세요."

"옛날이야기? 그래 어떤 이야기가 좋을까?"

하고 이야기를 고른다.

"왜, 내 치마꼬리만 잡고 따라다니려고 할까 이럴 때 약이 되는 동화는 없을까?"

"엄마, 빨리해줘."

"그래, 그래 옛날 옛적에 엄마 치마를 꼭 잡고 졸랑졸랑 졸랑졸랑 엄마를 따라다니는 아이가 있었대."

아이는 이야기의 실마리가 이상한지, 양심에 꺼리는 일이 있는지 묻는다.

"정말! 이름이 뭔데."

"응! 어릴 때부터 어떻게 잘 울던지 울보라고 불렀지."

"하하하, 울보? 정말이야!"

뭔가 이상하면서도 이야기의 리듬이 재미가 있어 금방 동화되어 이야기를 잇는다. (벌써 이야기의 흐름도 다 알지만 이런 기회야말로 엄마의 사랑을 흠뻑 받을 수 있겠다고 생각해서 이야기를 접어 듣기로 한다.)

"하하하. 참 재미있겠다."

"그럼 정말이지, 근데 그 동네에 도깨비가 살고 있었는데, 애들이 즐겁게 놀고 있으면 깊은 숲속에 열린 맛있는 산딸기를 따 가지고 달려와 나눠 주고 씨름도 하고 술래놀이도 하면서 즐겁게 놀아 주는데 이상하게도 어디서 우는 소리가 들리면 머리에 뿔이 돋아나더래."

"얼마큼?"

"응, 처음에는 손가락만큼."

"그럼 다음에는?"

"응, 또 우는 소리가 들리면 뿔이 또 하나 돋아나는 거야."

"와! 그럼 뿔이 둘이야?"

"둘이지."

"뿔로 뭘 하는데?"

"글쎄, 나도 잘은 모르지만 울고 떼를 쓰는 아이가 있으면 금방 이상한 일을 하더래요."

"무슨 일인데?"

"글쎄, 엄마가 시장에 장을 보러 가려는데 꼬마가 엄마를 꼭 잡고 따라가려고 우는 거야. 앵 앵 앵. 엄마, 따라갈 거야, 앙. 마당에 주저앉아서 발을 구르며 말이야. 그때 어디선가 돌멩이 하나가 때굴때굴 굴러오더니, 땅꼬마 발에 탁! 부딪친 거야."

"아팠어?"

"아니야. 아픈 것은 아닌데 아이의 몸이 글쎄 돌처럼 단단하게 굳어오는 거야."

"정말?"

"그럼!"

"움직이지도 못하는 거야?"

"우와!"

"그것뿐만 아니야. 더 큰 소리로 울어 보려고 해도 소리가 나오지 않은 거야."

"그럼 도망쳐 버리지"

"글쎄, 그러면 얼마나 좋았겠니. 아무리 일어서려고 해도 땅바닥에 발도 엉덩이도 딱 붙어서 꼼짝도 할 수 없었던 거야."

구출할 방법이 막혀버린 아이는

"그래서 어떻게 됐어?"

"그걸 보고 있던 엄마가 안타까워서 도깨비를 찾아가 도깨비님, 도깨비님, 우리 아이를 좀 살려 주세요."

"그러니까 도깨비가 뭐라고 했어요."

"안 돼. 엄마를 따라다니고 싶어 우는 아이는 용서할 수 없어. 정말로 울지 않겠다고 빌어야지. 엄마가 빈다고 용서해 주나?' 이렇게 말하는 도깨비 소리가 꼬마의 귀에도 들렸어."

"이상하다."

"응 뭐가?"

"바윗덩이가 되었는데 말소리가 어떻게 들리지?"

"응, 그러게, 말이야. 도깨비는 뿔이 나오면 못 하는 일이 없대."

"정말?"

"응, 소리도 들리고 엄마가 도깨비에게 비는 것도 다 보이는데, 온몸이 딱딱하게 굳어 버렸으니 배가 고파도 먹지도 못하지, 움직이지도 못하지, 말도 못 하지, 얼마나 답답했겠니. 너 같으면 어떻게 했으면 좋았겠니?"

"빨리 빌어야지."

"아니, 뭐라고"

"나 엄마 안 따라갈 거야. 그럼 되지?"

"오, 참 그렇구나. 그래서 아이는 마음속으로 대답을 했어요. '용서해 주세요. 다시는 엄마를 따라다니지 않겠어요. 그리고 울지도 않겠어요.' 하고 말이야."

"그래서 어떻게 됐어요. 엄마!"

"도깨비는 약속을 참 잘 지켰어요. 슬슬 꼬마의 굳은 몸이 풀렸어요. 바로 이때 '꼬마야, 놀자' 하고 이웃 친구들이 놀러 왔어요."

"도깨비는?"

"바로 그 도깨비가 다른 친구들과 함께 놀러 온 거야."

아이는 한숨을 쉰다. 졸였던 마음이 풀린 것이다. 그러나 아이의 생각은 도깨비에 집착해 있다.

"도깨비는 어떻게 생겼는데?"

"도깨비는 이렇게 뿔이 두 개고 사람처럼 옷도 입었는데 착한 일을 할 때는 뿔이 보이지 않아."

"그럼, 언제 보이는데?"

"응, 도깨비가 우는 아이 소리만 들으면 뿔이 나오는 거래."

"이렇게 뿔이 두 개나 나는 거야?"

"그렇지. 그 뿔로 뭘 하는데?"

"응 그건 아무도 몰라."

"응 그럼 아이들이 도깨비하고 놀았어?"

이야기는 현실로 돌아온다.

"그럼, 방에서는 공굴리기, 아빠하고 많이 해 봤지."

"응, 그럼 밖에서는?"

"세발자전거 타기, 미끄럼 타기, 시소 타기, 철봉 매달리기, 정글짐 올라가기."

"나도 할 수 있어."

"그럼, 잘하고 말고. 혼자서도 잘하지."

　　엄마는 응석을 부리는 아이의 버릇을 고쳐 보려고 이야기 속에서도 열심히 아이의 버릇을 지적하면서 이야기를 나눈다. 이런 이야기는 한두 번은 좋을지 몰라도 벌써 두 번만 들으면 아이는 엄마가 왜 이런 이야기를 하는지 잘 알고 있다. 이야기 속에 주인공이 자기라는 것도 잘 알고 있다. 그래서 자주 이야기하면 엄마의 입을 막으며 못 하게 한다. 벌써 한 번의 이야기를 들으면서 아이는 최대의 반성을 한 것이다. 그리고 최소한의 효과는 다시는 울지 않겠다는 생각은 벌써 한 것이다. 그것은 이야기 도중 몇 마디 질문으로 이야기 속에 상상의 세계에서 이미 해결하고 있기 때문이다.

　　"하지만 엄마, 내가 엄마를 따라다니려고 하는 것은 엄마의 사랑을 더 많이 받고 싶어서 그래요. 나도 엄마를 사랑해요."

　　그렇습니다. 이야기 뒤에 숨어 있는 것은 엄마와 아이의 사랑이 문제예요. 누가 더 많이 사랑할까요?

2. 창조하는 동심 세계

3세에서 7세까지를 직관적 사고기라고 한다. 이야기를 듣는 즉석에서 행동으로 옮기는 상상을 해낸다. 그것은 체험을 토대로 상상을 펼치는 것이 아니라 어떤 가능성만을 믿고 자신 있게 말한다. 높은 곳에서 뛰어내린다고 하면 그 높이에 상관없이 뛰어내리는 행동만을 집착하여 말을 한다. 말하자면 무한한 가능성을 가지고 있는 것이다.

세상에는 수없이 많은 이야기가 있다. 하지만 어린이는 충분히 공상할 수 있는 이야기 자신이 아는 만큼의 이야기를 찾는다. 수준이 높고 교양 있는 이야기, 이것도 아니다. 유익하고 뜻이 있는 이야기, 이것도 아니다. 알기 쉬운 이야기, 자신이 가장 편하게 이해할 수 있는 이야기 그리고 명랑하고 재미있는 이야기, 호기심을 일으키는 신나는 이야기, 언제나 새롭고 신비한 이야기, 이것이 바로 어린이가 원하는 이야기 동화이다.

동화 속에는 동심이 있다. 이 동심은 때 묻지 않고 신이 주신 그대로 수정같이 맑고 깨끗한 마음 바로 그것이다. 하나를 보면 그 속에 무수한 하나를 발견하고 또 하나는 둘을 낳고 둘은 넷, 여덟하고 기하 함수적으로 늘어나는 창조적 힘을 발휘한다. 이야기를 들어도 주인공과 함께 또 다른 이야기를 꾸미고 그 이야기 속에 꿈을 그려가는 생각들이 끊이지 않는다. 이것이 바로 살아 있는 동심이다.

동심은 아득한 옛날 인간이 자연과 더불어 살았을 때 미지의 자연은 신비에 차고 위험과 놀라움에 가득 차 있었다. 인간은 본 대로 들은 대로 경험과 체험을 통해 오직 삶에 길을 찾았다. 그 무섭고 험난한 환경에 굴복하고 또는 극복하면서 수많은 공상과 상상을 거듭하며 희망과 꿈을 찾았다. 달나라에 토끼가 떡방아를 찧고, 견우와 직녀가 은하수를 건너서 사랑을 속삭이고, 선녀가 하늘에서 내려와 숲속 연못에서 목욕한다는 생각은 유치한 생각이 아니다. 눈에 보이는 계절에 따라 변하는 자연에는 생명이 있다고 믿는 소박한 생각은 존중받아야 할 것이다.

우리는 흰빛을 숭상하는 백의민족이었다. 흰빛은 곧 태양을 의미하고 순결하고 신성함을 나타내는 우리 한국의 정서가 되었고 자존심이 된 것이다. 역사 속에 많은 외침을 당했어도 굽히지 않고 공동체 의식을 잃어버리지 않고 단일한 백의민족으로 살아남은 위대한 민족이다.

우리 선조들은 자연을 숭상하고 자연과 더불어 살아오면서 신화를 창조하였으며 오랜 세월을 겪어오면서 수많은 민화를 낳아 민족의 얼을 심고 우리의 꿈과 이상을 가꿔나왔다. 어떤 시련이 앞을 가려도 굽히지 않고 꿋꿋하게 살아온 우리는 어릴 때부터 선조들의 옛이야기를 들으며 다져진 창조적 꿈과 이상이 오늘에 이른 것이다.

달나라의 토끼가 방아를 찧고 까치가 은하수에 다리를 놓은 이야기며 흥부가 박을 타는 이야기는 우리의 꿈을 그린 것이다. 우리는 일찍부터 까막나라에서 불개를 시켜해를 물어오면 일식, 달을 물어오면 월식, 한없는 우주에의 꿈을 키웠고 변신 변모라는 유전공학의 이상도 있었다. 바로 이것은 인류의 무한한 문화유산이며 이 꿈은 영원히 끊이지 않은 이야기 동화로 이어진 것이다. 이야기는 어린이의 호기심을 자극하고 예술적인 창조력을 자극해 왔다.

3. 어린이가 즐겨 찾는 이야기 동화

우리는 어린이가 즐겨 찾는 이야기 동화의 실체를 잘 파악해야 할 것이다. 동화는 책 속에만 있는 것이 아니다. 할아버지 할머니의 마음속에 어릴 때부터 들은 이야기 속에 남아 있다. 과학이 발달하자 텔레비전이나 라디오에서도 정성스럽게 동화를 들려준다. 슬픈 이야기에는 슬픈 음악을 흘려 실감을 추가해 주고 비가 오고 바람이 불면 폭풍우가 휘몰아치는 효과음을 내보내면서 감동을 자초한다.

이러한 매체가 전혀 효험이 없는 것은 아니다. 그러나 아무리 보고 들어도 깊은 감동을 주지 않는다. 이것은 이야기 동화가 시청자가 함께 호흡할 수 없기 때문이다. 말하는 이야기 동화란 가슴을 열어놓고 마음에서 마음으로 전달하는 정다운 동화, 그때그때 분위기와 상황에 따라서 듣는 어린이의 마음을 헤아리는 동화, 듣고 들어도 다시 듣고 싶은 그리운 동화, 함께 울고 웃고 호흡하는 동화, 즉 말로 전하는 재미있는 이야기가 동화이다.

말이란 단순히 어떤 뜻을 전하는 이상으로 감동을 불러일으키는 힘이 있다. 감동은 바로 말의 매력이며 재미의 본질이다. 그래서 유아들은 어른들이 자유롭게 말하는 것을 보고 자신들도 재미있는 말을 빨리 배우려 든다고 스위스의 심리학자 피아제는 말하고 있다. 놀랍게도 생후 두 살이 되면 500~700단어 정도의 어휘를 알고 여섯 살이 되면 2,500~3,500단어쯤 알게 된다고 한다. 이것은 한 세대를 살아가는데 필요한 기본 어휘량의 3분의 2에 해당한다고 학자들은 말하고 있다.

이렇게 많은 양의 어휘를 3~4년 사이에 획득한다는 것은 어릴 때부터 말이 갖는 매력을 느끼기 때문이다. 말을 이해한다는 것은 생활에 획기적인 변화를 가져온다. 소리로 몸짓으로 어렵게 표현하던 의사가 몇 마디 간단한 말로 통하게 된다는 사실을 인지한 다음에는 그 필요성에 따라 급속도로 발전할 수밖에 없다. 실제로 말에 관심이 생기는 3세 무렵이면 말은 잘 못해도 이야기는 열심히 듣는다. 뭔가 아는 듯한 느낌을 준다. 그런 뒤로는 말은 못해도 간단한 심부름을 하는 것을 우리는 잘 알고 있다.

이 시기부터 유아들은 말에 대한 관심이 점점 커진다. 그래서 같이 놀아주고 이야기해 주는 것을 무척 좋아한다. 언어 발달기의 유아들은 이야기를 듣고 있는 동안에 적은 경험, 좁은 생각이 더 넓어지고 이야기를 통하여 마음이 더 깊어지는 것에 한없는 희열을 느낀다. 유아가 이야기를 즐겨 찾는 것은 이야기 속에서 마음의 문을 활짝 열어 주는 감동이 있기 때문이다.

유아가 즐겨 찾는 동화란

㉮ 재미있고 기쁨과 감동을 주는 동화.

㉯ 다양한 호기심을 만족시킬 수 있는 동화.

㉰ 변화가 있고 지적발달에 유익한 동화.

㉱ 이야기를 더 발전시킬만한 흥미가 있는 동화.

㉲ 말의 아름다움과 삶의 질서를 경험하는 희망찬 꿈이 실린 동화.

좋은 유아 동화란

㉮ 현대나 고대의 구분 없이 시대를 초월하고 국경이 없어야 한다.

㉯ 등장인물은 실명이 아니라 가상 인물이면 더욱 좋다.

㉰ 동화에 나오는 신앙이나 풍습이 있는 그대로 자유로워야 한다.

㉱ 동화의 주인공은 정의로워야 한다.

㉲ 자연물도 넋을 가지며 말을 하고 선녀와 신령, 마귀와 악마, 요물과 도깨비 등을 인정해야 한다.

㉳ 내부의 심리적 갈등보다는 협동적인 외부 관계가 더욱 중요하며 모든 것이 살아 움직이며 형태를 바꾸고 장소를 달리하는 화법을 쓰는 자유를 가져야 한다.

4. 이야기 동화란?

동화에는 어린이 자신이 읽을 수 있는 아동문학으로서의 동화와 어른이 읽어 주거나 이야기로 들려주는 '말로 하는 이야기 동화' 두 가지가 있다. 유아에게 주어지는 동화는 거의 '이야기 동화'이다.

구연동화란 어린이를 상대로 입으로 재미있게 들려주는 동화라는 뜻으로 입 구(口)

자와 펼 연(演) 자를 써서 입으로 어떤 줄거리를 재미있게 들려준다는 뜻으로 표기되어왔다. 실제로 어린이들은 '동화 구연해주세요'라고 말하기보다는 '이야기, 해주세요!' 하고 순수한 우리말을 더 정답게 활용해왔다.

이야기란 어떤 사물이나 현상에 관하여 일정한 줄거리를 잡아서 하는 말이나 글을 의미한다. '이야기'라는 단어는 명사, 타동사, 자동사로 쓰여 왔으며 구연동화와 같은 의미로도 쓰였고, 이야기를 재미있게 잘하는 사람을 '이야기꾼'이라고 했다. 그리고 우리 생활 속에 이야기를 잘하거나 늘어놓는 사람이란 뜻으로 '이야기쟁이'라고 했다. 이 말은 순수한 우리말이며 지금도 어린이들은 "이야기, 해주세요!" 하고 순수하게 말하고 있으며 "구연동화 해주세요"하는 어린이는 없다.

구연동화란 개화기에 신학문을 받아들이면서 당시 지식인들의 한자 선호사상에 따라 한자 숙어로 '구연동화'로 쓰여 왔다. 그러나 지금까지도 어린이들의 생활 속에 용해되지 않아 학문이나 어른들의 용어로 남아있을 뿐이다. 어린이는 이야기를 듣고자 하는 가장 중요한 요점은 위에서 말한 바와 같이 누가 가장 재미있고 감동적으로 이야기를 들려주느냐가 듣는 이야기의 최상이 된다.

아무리 이야기 내용이 재미있어도 이야기를 들려주는 사람의 능력이 없으면 이야기는 재미가 없어진다. 예부터 이야기를 재미있게 잘하는 사람을 '이야기꾼'이라고 했다. 그뿐 아니라 판소리나 잡가 따위를 잘하는 사람도 '소리꾼'이라 하여 우리 생활 속에 자리 잡고 있었다. 다시 말해 어린이에게 동화를 가장 재미있게 잘해주는 사람이 '이야기꾼'이었다.

5. 동화의 유형

동화는 크게 분류하여 옛날이야기처럼 환상의 세계를 그린 공상동화와 어린이의 생활 주변에서 일어나는 현실적 세계를 그린 생활동화가 있다. 그러나 어린이를 대상으로 하는 동화는, 성인의 소설이나 소년 소녀의 동화처럼 이 두 가지를 구별하기는 어려운 일이다.

공상 세계를 그려도 어린이에게는 현실 생활의 연장이며, 역으로 가까운 현실 생활을 그려도 공상 세계와 상상의 중복이 된다. 이것은 어린이가 공상과 현실이 접목되는 세계에 살고 있기 때문이다.

어릴 때 달나라에 옥토끼가 방아를 찧고, 불개가 해를 물어 가는 이야기를 들으면 거부감보다는 사실처럼 실감하고 호기심을 느꼈다. 이것은 자연이라는 것에 생명을 느끼는 소박한 표현으로 매우 소중한 것이다. 자연 속에 태어나 자연과 더불어 살아가는 어린이는 누가 가르쳐 주지 않아도 무한한 공상의 세계에서 살아 움직일 수 있는 생명력을 느끼기 때문이다.

가. 이야기의 태동

동화의 기원은 문학의 기원과 같이 그 시작을 알 수는 없지만 오랜 아주 먼 상고 시대로부터 있었음은 물론이다. 인류가 남에게 뜻을 전하는 말을 하기 시작한 그 시대로부터 예측할 수 없는 자연의 힘과 두려움 앞에 간절한 신의 섭리를 깨우치고 감동한 이야기는 신화가 되고 신앙의 대상이 되었다. 또한 다른 동물들과의 살기 위한 투쟁을 겪으면서 그 감격스러운 삶을 기록으로 남겼다. 그 투쟁의 역사는 문자 탄생 이전이었기에 후세에 남기고 싶어서 울산 울주군의 반구대(盤龜臺)와 같이 신석기시대에 고래

사냥의 모습을 바위에 새겨 암각화(巖刻畵)로 남겨 주었다. 고구려 고분에는 고구려 사람의 일상생활과 용맹스러운 사냥 모습이 벽화로 남아 있다.

그러나 이보다도 더 중요한 것은 글이 있어도 다 전하지 못한 삶의 체험을 문자 이전부터 입에서 입으로 전했다는 사실이다. 대자연과 함께 살아온 위대한 이야기, 두려움을 이겨낸 인간의 지혜, 그 지역과 그 시대에 살던 민중의 꿈과 희망과 소원과 동경을 담아 입에서 입으로 전승되어온 소중한 이야기들이 있다.

이야기는 인간의 삶과 역사가 만든 위대한 문화유산이다. 이야기는 입에서 입으로 구전되면서 인간의 삶에 질서를 만들어 주었다. 이야기는 민중의 수많은 신화, 전설, 서사시, 옛날이야기, 민화, 우화, 설화에 뿌리를 두고 있다. 시대가 변하면서 옛이야기 가운데 쓸모없는 부분은 삭제되고 인간이 살아가는데 소중한 부분은 강조되었다. 가정 안에서 민중 속에서 누구의 구속도 없이 신비하고 즐거운 이야기가 남겨졌다. 아름다운 이야기들은 또 다른 공상 세계를 불러일으키며 예술적인 창조력을 자극해왔다.

나. 선조들이 남겨 주신 전래동화란

『동화 연구』라는 책에 의하면 이집트 태수의 박물관장인 메스 베로는 박물관에 보존되어있는 옛날 기록물을 조사한 결과 출판물에 적힌 여러 가지 설화들 가운데 가장 오래된 것은 3000년 전, 이집트 사람이 쓴 동화라고 한다. 이것은 아주 먼 옛날부터 입에서 입으로 전해 내려온 전래동화이다.

그 뿌리를 살펴보자. 어느 민족이나 오랜 세월을 거처 민중 사이에 전해 내려온 수많은 설화(說話) 또는 민화(民話), 민담(民譚)이 있다. 문헌에 의하면 인도의 『오부경(五部經 · 판챠탄트라)』이 가장 오래된 동화집으로 알려져 있다. 지금도 유럽의 농민들 사이에서 이야기되고 있는데 예부터 입에서 입으로 구전된 것이다.

우리나라도 비슷하겠지만 동화가 널리 전파되는 경로를 추적하기란 거의 불가능에 가깝다. 하지만 그중에는 경로를 예측할 수 있는 것도 있다. 좋은 예가 「우유 파는 소녀」라는 동화이다. 이 이야기의 원천은 인도의 『오부경(판차탄트라)』이다.

동화 4 - 우유 파는 소녀(지상에서 가장 오래된 동화)

옛날 어느 곳에 바라문(인도의 최고계급)이 있었어요, 이름은 스와부와와구리푸파니아(태어날 때부터 인색했다는 뜻). 탁발(중이 수행을 위하여 경문을 외우면서 마을로 다니며 동냥하는 일)하여 남은 쌀을 항아리에 넣어 앞에 놓고 공상에 빠졌어요.

지그시 눈을 감고 생각에 빠졌어요. 모처럼 많은 쌀을 동냥하였으니 얼마나 좋은가. 혹 흉년이 들어 식량이 모자라게 되면 이 쌀을 비싼 값으로 팔아서 백문의 돈이 내 손에 들어온다면, 무엇보다도 먼저 젖 짜는 염소 한 마리 사야지!

염소란 것은 6개월에 한 번씩 새끼를 낳으니까, 몇 년 참고 기다리면 꽤 많은 염소를 얻을 수 있겠지. 이 염소를 온통 팔아서 많은 돈이 생기면 암소를 사서, 이 암소가 낳은 새끼를 팔아 돈을 모으면 암소보다 돈이 더 남는 물소를 사고 다음엔 말을 사서 잘 키워 팔면 몇 년 뒤에는 돈이 산더미처럼 불어나겠지. 이렇게 되면 땅을 사서 커다란 대문이 있는 넓고 큰 집을 지어야지. 그러면 바라문의 부자가 예쁜 딸과 결혼을 해 달라고 청혼을 해 오겠지. 색시는 많은 공부를 하고 무엇이든지 잘하고 덕망이 있으면서 많은 돈까지 가지고 온다면 못 이기는 척 받아들여야지. 그리고 날마다 잘 먹고 즐겁게 살다가 아들을 낳게 되면 '소오마 샤르만'이라고 이름을 지어 아주 귀엽게 길러야지. 두 살쯤 되어 내가 누워서 책을 보고 있을 때 아기가 귀찮게 기어오르면 나는 마누라를 불러 "아기가 귀찮게 하니까 어서 데려가시오."라고 말해도 마누라가 빨리 오지 못하면 벌떡 일어나 마누라에게 가서 버릇을 고치기 위하여 한 대 차버려야지.

여기까지 생각한 바라문은 앞에 있는 미래의 마누라를 차는 순간, 항아리를 차버린다. 항아리는 산산조각이 나고 쌀은 흩어져 못 쓰게 되었어요.

이상은 『오부경』에 나오는 이야기이다. 이 같은 전래동화는 설화문학에서 찾을 수 있다. 설화란 장르별로 신화, 전설, 민담을 포괄하는 개념이며 전승 방법도 문헌에 의한 전승과 입에서 입으로 전승하는 구전으로 나뉜다. 신화와 전설, 민담은 성격이 명확히 구분되기도 하고 서로 넘나들기도 하지만 그 중에서도 특히 동화적인 성격이 짙은 것을 보통 전래동화라고 한다.

다. 전래동화의 특성

전래동화는 어른, 아이 구분 없이 누구나 즐겨 듣는 재미있는 얘기다. 줄거리는 민족적 정서와 권선징악의 도의적 만족감을 동시에 주며 간결하고 명료한 상황과 힘찬 전개가 특징이다. 좀 더 구체적으로 살펴보면

1) 그 민족의 정서, 민족성, 생활태도, 환경의 특징이 잘 담겨 있다.

2) 어린이다운 상상이 넘치는 이상한 세계, 극적인 사건, 유머와 로맨스, 모험과 탐색 등 아이들의 상상력을 만족시킨다.

3) 고정된 형식이 주는 심미적 만족감과 권선징악이라는 도의적 만족감을 동시에 준다.

4) 아이들의 무의식에 작용하여 심리적 갈등을 해소해 준다.

5) 인물보다는 사건 중심으로 줄거리를 끌고 나간다.

6) 인물은 평면적이고 단순하며, 서로 극단적으로 대조된다.
   (좋은 사람은 좋고, 나쁜 사람은 나쁘다. 예쁘면 착하고, 미우면 마음씨도 나쁘고

일도 못 한다. 아이들의 상상력은 극단적으로 과장된 인물상에 의해 자극받으며, 아이들은 살아 있는 인간의 어떤 부분을 떼어 내어 명확하게 보여 주어야만 비로소 인간성을 이해할 수 있기 때문이다.)

7) 고도로 양식화된 상징적 표현을 사용한다.

(인간의 생활이나 마음의 움직임을 그대로 묘사하는 것이 아니라, 그 중에서 본질적인 것을 추출하여 선명한 드라마 속에서 상징적으로 묘사한다. 재창작한 전래동화가 어쩐지 재미가 없고 어렵다는 느낌이 드는 이유이다.

8) 시간의 흐름에 따라 사건이 일어나고 장소도 바뀐다.

9) 이야기의 첫머리에서 주요 인물, 장소 줄거리의 발단 조건이 모두 나타난다.

10) 진행형식은 대부분 반복을 이용한다. 특히 세 번의 반복이 자주 쓰인다.

(반복은 현실적인 성격을 드러내고, 중심 아이디어를 강조하며, 흥미와 기대감을 높이고, 일관성을 준다.)

11) 전래동화에서는 사건이든, 물건이든 필요하면 느닷없이 나타났다가 쓰임이 끝나면 잊히고 만다.

(근대적인 독자들이 가장 저항감을 느끼는 부분이나 전래동화 구조 전체에 침투해 있는 고도로 세련된 양식이다.)

동화 5 – 부지런한 머슴(전래동화)

옛날 어느 마을에 부지런한 머슴이 살고 있었어요. 머슴은 잠시도 쉬지 않고 부지런히 일하는 착한 사람이었어요. 봄부터 가을까지는 열심히 주인집을 위해서 일을 하면서 남들이 쉬는 시간에도 마을 길을 쓸거나 돌을 주워서 허물어진 담을 쌓기도 했어요. 머슴은 이렇게 마을을 위하여 좋은 일을 해왔지만, 어느 날 참다못한 어린 아들이

투정을 부렸어요.

"아버지, 아이들이 놀려대요. 아버지는 돌을 주워 모으는 가난뱅이라고요"

"얘야, 이 세상에는 모든 것이 다 쓸모가 있는 거란다. 그러니, 무엇이든 부지런히 주워 모아야지. 그리고 그것을 어디다 쓸 것인가를 궁리해 보는 거야."

머슴은 오히려 아들을 타이르며 용기를 돋아주었어요.

이 부지런한 머슴은 겨울철에는 길가의 눈을 쓸고 굴러다니는 돌은 주워 움푹 팬 인 곳을 메워주거나 쓸데없는 돌을 열심히 주워 모았어요.

저녁을 먹고 모두들 쉬고 있을 때 새끼를 꼬거나 다른 일을 하는 시간 이외는 길거리에 다니면서 돌 조각을 보는 대로 주워 모았어요.

부지런한 머슴의 집 마당에는 어느덧 돌무더기가 여러 개 생기게 되었어요.

마을 사람들은 집을 고치다가 돌이 필요하면 이 머슴의 집에 가서 얻어다 쓰기도 했어요.

"필요하시면 얼마든지 가져다 쓰십시오."

머슴은 언제나 이렇게 말했어요.

어느새 머슴의 집은 돌무더기에 가릴 정도로 돌이 많이 모아졌어요. 이제는 머슴의 아내도, 아들도, 딸도, 돌만 보면 주워 와서 돌무더기에 던져 놓곤 했어요.

그런 어느 날이었어요.

그 마을에서 가장 심술 많고 부자인 심술쟁이 박첨지가 달밤에 마을길을 거닐다가 달빛에 누런 황금 무더기가 눈부시게 빛을 내고 있는 것을 보고 아찔했어요.

"아니 저게 뭐야 황, 황금 아니야!"

하고는 누가 들을까봐 왼손바닥으로 입을 틀어막고 오른손으로는 황금 무더기를 가리키며 눈만 말똥말똥 뜬 채 정신을 잃을 뻔했어요. 머리를 흔들어 정신을 차리고 자세히 살펴보자 이 집은 바로 머슴의 집이었어요. 박첨지는 욕심이 확 돋아났어요.

어떻게 하면 저 황금무더기를 손에 넣을까 궁리를 하면서 머슴 집 마당으로 들어 갔어요. 그리고 그 가운데 한 개를 슬쩍 가지고 나왔어요.

"영감님, 필요하시면, 더 가지고 가세요."

박첨지는 뒤에서 들리는 말에 등이 오싹하며 땀이 주르르 흘렀어요.

머슴이 어느새 문을 열고 나왔어요.

그러자 심술쟁이 박첨지는 재빨리 머슴에게

"여보게, 자네가 이 돌무더기를 나에게 넘겨주면 내가 섭섭지 않게 재산을 나눠 주겠네."

"아니 무슨 말씀을 그렇게 하세요. 쓰실 곳이 있으면 한 지게 져다 드리지요. 그런 데, 저 많은 돌을 어디다 쓰시려고요?"

"아니야, 나는 저 돌무더기가 필요해서 그래. 그러니 자네 아무에게도 이 말을 하 지 말고 기다리게. 내가 집에 가서 논문서를 가지고 옴세."

심술쟁이 박첨지는 쏜살같이 집으로 뛰어갔어요. 그리고 논문서를 꺼내면서 머슴 이 어리석어서 금덩이를 돌덩이로 알고 있다고 생각했어요. 그래서 머슴이 아무것도 모르고 있을 때 얼른 돌무더기를 사버릴 작정을 했어요.

다음날 온 마을에는 머슴이 돌무더기와 심술쟁이 박 첨지의 논밭 전부와 서로 맞 바꿨다는 소문이 쫙 퍼졌지 뭐예요.

박첨지는 돌무더기를 자기 집 광에다 옮겨 넣고 행여나 누가 볼까봐 조심조심 자 물통을 꼭꼭 채워놓고, 기뻐서 큰 잔치를 벌여서 그 일을 알릴 생각으로 있었어요.

며칠이 지난 후, 박첨지는 다시 금덩이가 보고 싶어서 광문을 가만히 열고 들어가 보았어요. 그러나 번쩍번쩍 빛날 줄 알았던 금덩이가 온통 돌무더기가 되어 그대로 쌓여 있었어요.

"아니 이게 웬일이야 그 반짝이던 황금 덩이는 어디 가고 쓸모없는 돌덩이라니….

아! 아이고 나는 망했네…."

　박첨지의 집은 온통 울음바다가 되었어요. 그러나 박첨지가 욕심 때문에 스스로 저지른 일이기에 어디다 하소연할 길도 없었어요.

　그러나 부자가 된 머슴은 또다시 돌무더기를 마당에 주워 모으면서 행복하게 잘 살았다는 얘기예요.

제 3 장

아기는 엄마의
얘기를 좋아해요

1. 나는 태어나기도 전에 엄마의 말을 듣고 있었어요

나는 태어나기 전부터 엄마의 소리를 잘 듣고 있었어요. 거짓말이라고요? 아니에요. 엄마가 "얌전하게 잘 참고 있어. 아빠보다 더 착한 아이가 되어야 해." 하고 배를 쓰다듬으셨어요. 그렇지요?"

"아니, 어떻게 알았지?"

"아빠도 엄마 배에다 귀를 대고 내가 뭐라고 말하나 들었지 않아요? 나도 엄마 배에다 귀를 대고 들었지요. 나는 엄마가 조용히 음악을 들으실 때면 나도 무척 편안하고 기분 좋게 들었어요."

가. 신고합니다, 최초의 소리

"아빠의 소리도 할머니의 소리도 눈으로는 볼 수 없었어도, 비슷한 소리가 자주 들릴 때마다 누가 누구인지는 확실한 분별은 할 수 없어도 소리에 따라 사람이 다르다는 것은 알고 있었어요."

"그럼 인사를 좀 하지 그랬니."

"아이참, 뱃속에서 어떻게 인사를 해요. 그래서 화가 날 때는 엄마 배를 툭툭 찼지 뭐예요."

"응, 그래, 그래 맞았어. 발로 차는 게 인사야."

"아니, 엄마도 그때 내가 발로 찼는지 손으로 쳤는지 어떻게 알아요?"

"그럼 내가 어떻게 알았겠니?"

그래서 내가 태어나서 누가 누군지 몰라서 밝은 쪽을 찾는데 누가 내 발을 불끈 들고 내 엉덩이를 탁 치자 인사를 했지요.

"응앙…" 하고 말이지요. 들으셨나요?"

"들었지. 그건 운 것 아니야."

"그것 봐요. 들었지 않아요? 그것이 밖에서 기다리는 엄마 아빠에게 "세상에 태어났어요. 하고 큰 소리로 인사를 드린 것이어요."

그 후로 여러 가지 조용한 소리는 좋았지만 큰소리가 들릴 때는 '깜짝' 놀랐어요.

"응앙…. 나 좀 도와주세요. 응앙…, 하고 소리쳤지요. 이때 어느 땐가 들던 가느다란 소리가 들리면서 흥분한 나의 가슴을 다독거리며 달래주었어요."

"오, 오, 놀랬어? 걱정 말고 어서 자야지."

"이히히, 할머니 소리였어요. 배 안에서 자주 들던 소리였어요."

뭐라고요? 믿을 수 없다고요? 내가 태어나서 얼마 안 되었을 때 어느 날 엄마가 할머니께 이런 말을 하셨어요.

"이 애는 울다가도 이 음악소리만 들으면 조용해져요. 음악을 좋아하는가 봐요."

"그럼요, 좋아하고 말고요. 할머니께서

"이 애는 음악가가 되려나보구나"

하셨지만 배 안에 있을 때 엄마가 조용히 들려주시던 〈타이스의 명상곡〉이던데요. 얼마나 반가웠는지 몰라요. 할머니께서 '이 애는 음악가가 되려나보구나' 하셨지만, 사실은 자주 들던 소리이기에 무척 반가웠어요. 이웃에 계시다는 것을 알고 안심이 됐거든요. 생각해보세요. 세상에 처음 나와서 아무것도 아는 것이 없는데 배 안에서 들던 소리가 아름아름 들리는데 반갑지 않아요. 자주 들려주세요."

나. 신생아는 청각이 먼저 발달한다

신생아는 한 달이 지나면 자주 반복되는 외부의 소리에 귀를 기울이기 시작한다.

나를 위한 소리인가 나를 위협하는 소리인가 눈으로 볼 수는 없으니까 모든 신경을 듣는데 집중하여 소리의 분별력이 대단히 발달한다. 한 예로 "엄마 내가 혼자 방에 있다가 심심하다고 울면 누군가 뛰어 오는 발소리를 들으면 할머니인가 엄마인가 다 알 수 있어요" "뭐라고 그럴 리가" "정말이에요. 엄마도 누워서 들어보세요. 방바닥으로 울려오는 소리는 아주 잘 들려요. 앉아서 듣는 것보다 더 잘 울려오거든요, 이런 말 들으신 적이 없으시나요.

개가 밤에 집을 잘 지키는 이유 말이에요. 사람들은 개는 밤잠을 안자고 집을 지킨다고 알고 있는데 개도 동물인데 밤새도록 잠을 안 자면 피곤해서 견딜 수 있나요? 그 비밀을 공개하면요, 사실은 개는 엎드려 잠을 자는 데요, 귀를 땅에 대고 자기 때문에 발소리가 땅으로 울려와 조용한 밤이면 얼마나 잘 들리겠어요. 그러니까 집안사람 발소리인가 다른 사람 발소리인가를 금방 알 수 있지요. 그래서 주인 발소리가 아닌 발소리가 들리기만 하면 무조건 짖어대니까 도둑은 얼씬 못 하는 거죠. 네 그러니까 아기들이 누워 있어도 방안에서 나는 소리는 참 잘 들을 수 있겠지요.

생후 5~6개월이 된 아기가 기분이 좋을 때 재재거리고 투레질을 하는 것은 단순한 모방적 소리 이전에 주변의 음성에 대한 수감능력이 생기고 청각에 호응하여 소리를 모방하여 스스로 언어를 습득할 준비를 하게 되는 거예요. 아기는 우는소리에 뜻을 새기고 엄마와 대화를 시작하지요.

"응애… 배가 고파요, 응애… 응애!"

이것은 최초로 의사를 표현한 훌륭한 언어적 표현의 하나이다. 그러나 이것만으로 남에게 내 의사를 다 표현할 수 없기 때문에 몸짓으로 외계의 정세에 대해서 직접 반응하고 있을 따름이지만 그것이 점차 기호라는 사회적 의미를 얻게 되고 최초에 만국 공통의 발성이던 것이 일정한 사회적 소통의 수단으로 알게 되면 그 행동을 함으로써 자신의 의지와 요구를 표현하게 된다. "빨리 빨리 응앙~" 손발을 폈다 굽혔다 몸부림

친다. 역시 몸짓언어도 엄마와의 대화에서 의사를 강요하는 수단이 된다.

자신의 요구가 전달되지 못하면 다양한 울음과 함께 몸짓으로 시위를 한다. "응앙 ~" 하고는 발버둥을 친다. 심하면 "응애응애~" 숨을 가누지 못할 정도로 강력한 요구를 한다. 아기가 세상에 태어나 자신의 의사를 처음으로 표하는 언어적 활동이다. 누구인지는 모르지만 나 아닌 어떤 대상에게 의사를 전하는 것이다. 다시 말해서 인간이 언어라는 사회적 수단을 이용해서 전달을 하게 되는 첫 번째 활동인 것이다. 이것이 바로 영아기의 생활이고 언어생활이다. 따라서 언어표현은 존재의 의미를 발현하고 그 도구로서의 언어표현은 사람들을 정신적 사회적으로 연결하는 중요한 결합의 도구라고 할 수 있다.

다. 아기와 엄마의 언어소통

"응아…응아…" 아기가 혼자서 울고 있다. 아무도 그 우는 소리를 듣고 아기의 뜻을 이해하지 못한다. 그러나 멀리서 이 소리를 듣고 달려오는 엄마는

"오, 그래, 그래 기저귀 갈아 달라고…, 그럼 그렇지 않고" 엄마는 벌써 우는 소리와 행동을 보고 아기의 뜻을 알아듣는다. 바로 이것은 아기와의 언어소통이 되고 있다는 중요한 사실이다.

아기는 스스로 말하기 이전에 남의 말을 알아듣는다. 남의 말을 이해하는 것은 단순한 소리가 아니라 음성의 높낮음, 유연성, 강약 등 언어리듬으로 이해하고 있다는 것을 알 수 있다. 아기가 알 수 없는 일로 한참 울고 있을 때

"그래, 그래 미안해 엄마가 멀리 있었지? 자, 그만, 그만 울어야지. 자, 뚝 그쳐요…."

흔히 이렇게 말을 강조하면 아기는 먼저 표정이 달라지면서 눈물에 젖은 눈을 깜박

이며 초점을 맞추지 못하고 생각을 한다. 아기의 뇌리에서는 들어본 적 없는 언어리듬과 강한 악센트, 이것이 무엇을 의미하는지 그동안 체험하고 인지한 여러 가지 감각과 대비해보고는 울음은 그치고 음성과 함께 눈으로 보이는 상대의 표정과 몸짓으로 뜻을 이해를 한다.

영아가 3개월이 지나면 엄마가 서너 번 손뼉을 치고는 "오! 그래그래 깨끗이 씻자 그리고 보송보송한 새 기저귀로 갈고 엄마와 함께 놀자…" 하면서 따뜻한 미소로 사랑을 전하면 울음은 그치고 방글방글 미소로 응답한다. 엄마의 말을 알아들은 것이다. 특히 두려움이나 노여운 표현이나 행동은 바로 안다. 또 언어를 이해하는 초보적 지식으로 중요한 것은 음성의 확실한 발음구조보다는 어조의 강약과 고저에 있다.

청각의 분화는 시각보다 빠르게 완성되어 생후 1개월이면 소리에 반응하고 2개월이면 소리의 종류 특히 엄마의 소리를 듣고 알게 된다. 6개월이면 노여움과 사랑하는 소리를 구분하게 된다. 일반적으로 언어의 이해는 이미 구체적으로 경험한 일들을 기초로 하고 자주 접하고 듣고 반복되는 사이에 소리의 고저에 인상을 깊이하고, 소리의 높 낮은 음색으로 구분하고 그 언어적 감성으로 이해한다.

조금 실감이 안 갈지 모르지만 아기에게 가장 동화가 필요한 시기를 선택하라면 바로 이때이다. 일반적으로 말도 못 하는데 무슨 동화냐고 말할지 모르지만 이 시기는 귀에 들리는 소리에 가장 큰 관심을 모으고 있을 때니까요. 뜻은 몰라도 계속 반복해서 듣는 사이에 소리의 감각으로 미루어 생각하거나 짐작으로 따지고 살피어 뜻을 자연스럽게 이해하게 된다. 따라서 말은 할 줄 몰라도 방안에서 간단한 인기척에도 반응한다는 것을 우리는 알고 있다. 이 시기야말로 많은 이야기를 들어야 지적 언어적 발달에 도움이 된다는 것을 생각할 때 이 연령에 적합한 이야기를 많이 들려주어야 할 것이다.

아기를 편안한 자세로 무릎 위에 앉히고 예쁜 인형 송이를 들고 상냥하고 조용한 목소리로 이야기하듯이 노래를 들려 줘 보자. 어떤 반응을 보일까.

"어머나, 예쁜 송이 혼자서 심심했지?"

송이에게 다가가서 아기의 손을 흔들며

"송이, 안녕, 엄마야. 안녕…."

인사를 나누고 평소에 말하듯이 엄마는 송이에게 묻는다, "송이는 무엇을 하고 놀았니?"

"노래하고 놀았지요. 어머나, 예쁜 노래했겠네. 어떤 노래를 했을까. 엄마가 알아맞춰볼까? (노래로)

사과 같은 네 얼굴 예쁘기도 하구나
눈도 반짝 코도 반짝 입도 반짝반짝

오이 같은 네 얼굴 길기도 하구나
눈도 길쭉 귀도 길쭉 코도 길쭉길쭉

호박 같은 네 얼굴 우습기도 하구나
눈도 동글 귀도 동글 입도 동글동글

이렇게 상상만 하여도 미소가 절로 나온다. 밝고 명랑한 어조로 기회가 있을 때마다 정성 들여 얘기해 주면 아기는 알아듣는다. 그러기에 우리는 동물과 다르다. 정성껏 정을 쏟으면 그 경험을 두고두고 기억한다. 잊을 줄을 모르는 경험은 지적 언어적 발달의 뿌리가 된다.

2. 언어의 창

아기가 방글방글 웃으며 발버둥을 치며 때로는 "응애…" 하고 소리를 지르며 기뻐한다. 엄마처럼 음악을 이해하고 알아서 기뻐하는 것은 아니다. 엄마의 마음을 읽고 엄마의 얼굴에서 기쁨을 느끼고 몸짓으로 응답하는 것이다.

인간은 마찬가지다. 영아일 때도 감동을 받을 줄 안다. 감동을 느낄 때는 온몸을 가누지 못하고 뛰고 소리를 지른다. 영아의 경우도 마찬가지다. 기쁠 때는 손발을 흔들며 소리를 지르며 기쁨을 나타낸다.

우리가 아이들을 기를 때 이런 일을 몇 번이나 겪었을까. 다시 말해서 아기에게 만족스런 기쁨을 몇 번이나 주었을까, 하는 질문이다. 엄마의 사랑에 대해 아기가 너무나 잘 알고 있다. 이미 아기와 엄마 사이에 마음과 마음이 소통하는 언어적 영감이 있다. 아기는 울다가도 엄마의 소리만 들어도 울음을 "뚝" 그친다. 그리고 엄마는 아기의 소리만 듣고도 아기의 마음을 헤아린다. 이것은 바로 언어 이전에 영감으로 통하는 인간 소통이다. 이것은 바로 정신적 언어적 활동의 가능성을 보인 것이다. 이것이 거듭나면 음악과 언어의 창이 열리며 언어적 기조를 다져 언어생활을 시작하게 된다.

돌 무렵이면 두 입술을 떨며 투레질을 하며 언어를 통해 자기표현을 하려고 노력을 한다. 말은 엇비슷한 소리를 위주로 엄마는 "엄…" 맘마는 "맘…" 정도의 정확한 말은 아니지만 소리에 따른 말뜻은 나타낸다. 다시 말해서 듣는 말 중에 "할머니는 어디 계시니?" "아빠는 ?" "엄마는 ?" "책은?" "신문은 ?" "인형은 ?" "소방차는 ?" 등 방안에 있는 일상용품은 물론 웬만한 심부름도 다할 정도로 말을 알아듣는다.

그러다가 돌이 지나면 일어서려는 운동이 시작되며 잠시 지적인 활동은 뒤편으로 보내고 신체기능과 전신운동에 관심을 모으며, 신체조정능력 실험을 스스로 실행한다. 서서히 걷는 걸음마가 완성될 무렵의 모습은 그 성취감에 기쁨을 감추지 못한다.

먼저 신체에 평형감각이 발달하여 자유롭게 걸음을 걷게 되면 시야가 넓어지고 적극적인 언어 발달에 관심을 모은다. 이 무렵이면 갑자기 어휘가 증가하고 동사의 사용과 어미의 변화, 조사, 감탄사 등 점진적 분화 단계를 경과하면서 언어 형식을 이해하고 모방과 연습에 의하여 끊임없는 변화를 가져간다.

이 시기는 서서 걷고 말을 하는 등 인간의 일대 혁명기라고 할 수 있다. 동물은 출산해서 불과 10여 분이면 일어서서 걷고 먹을 것을 찾아 자기 보존의 활동이 시작되지만 사람은 서서 걷고 말을 알아듣고 간단한 의사표시를 할 때까지 일 년 동안의 태외생활을 거쳐 인간의 기초를 완성하는 특색을 가지고 있다.

경험을 토대로 언어가 생활에 중요한 역할을 한다는 것을 느끼게 되면 언어의 욕구가 심화된다. 먼저 자기 주변 환경의 지식을 얻으려는 욕구. 그리고 자기 자신과 친구에 대해서 알고자 한다. 또 부족함을 표현하고 명령을 하는 욕구. 나와 남과의 사회적 관계를 가지려는 욕구, 자기의 생각을 발표하려는 욕구 등이 강력히 작용하고 수시로 아무 대상도 없이 혼잣말로 시종 재잘거린다. 때로는 울다가 소리를 멈추고 주변 환경을 살피거나 반응을 기대하고 생각하는 특징을 갖는다.

이 시기를 학자에 따라서는 언어형성기라고도 하지만 유아의 언어발달에는 주위 환경의 영향을 크게 받게 된다. 처음에는 말은 알아듣지만 표현력이 약해서 주변에서 들은 말을 반복 연습하고, 말의 반응을 살피면서, 자기중심적으로 표현하며 흥미 있는 사물이나 많은 것에 대해서 '뭐야' '왜' 등 질문의 빈도가 높아진다. 바로 이 무렵 가장 가까이 있는 엄마와 가족의 말씨나 언어습관 언행 등이 영향을 미친다.

생활 속에 정확한 언어지도를 위해서 말을 할 때 발음하는 입의 모양을 잘 보여 주어야 한다. 말은 경청하는 태도에 따라 인지도가 달라진다. 엄마가 처음 배워주는 말은 반듯이 정확한 입 모양을 눈으로 보도록 유도하고 입 모양을 모방하며 소리를 반복 복창토록 하고 말의 느낌을 감각적으로 잘 전달하여야 처음 말을 배우는 유아에게 크게 도움이 된다.

따라서 이 시기에는 엄마가 그림책을 보면서 이야기해 주는 것은 사물과 이름을 함께 인지하고 그림 설명에 따라 언어에 대한 관심이 높아간다. 언어는 단순히 말만을 이해하는 것이 아니라 말의 반응, 말과 행동, 말의 감성, 다른 말과의 관계 등 구체적으로는 언어는 지적발달에 지대한 발전을 가져온다.

영아기(嬰兒期)에는 말을 알지는 못해도 말의 발신에 따라 감성적인 반응을 보인다. 아기는 엄마의 "까꿍" 소리만 들어도 손발을 흔들며 기쁨을 나타낸다. 다시 말해서 말은 알지 못해도 소리를 듣고 누구의 소리인가 어떤 말인가를 구분할 수 있을 만큼 섬세하게 듣고 있다. 따라서 언어로서 처음 들려주는 말부터 정확한 발음을 들려줌으로써 말에 대한 흥미와 소질이 확대된다. 많이 들은 만큼 말도 잘하게 된다. 아기에게는 좋은 이야기를 많이 들려주어야 한다. 위에서 말한 바와 같이 들은 말은 우선 기억장치에 보관해 둔다. 그리고 같은 말을 거듭 들을 때 말뜻을 인지하게 된다. 말을 많이 듣는 아기의 미래는 희망적이다. 많은 이야기를 듣고 자란 아기는 말의 이해도 빠르고 좋은 언어습관도 얻게 된다. 다시 말해서 일거양득의 효과를 얻을 수 있다.

3. 말과 표정

엄마는 이야기하듯이 질문을 유도하면서 아기의 생각을 받아들이며 참 잘한다는 칭찬을 아끼지 않아야 한다. 확실하지 않은 발음에 대한 고정은 즐거운 표정으로 놀이하듯이 반복시켜 바른 발음에 관한 관심이 생기게 해야 한다. 언어와 표정도 대단히 중요한 관계가 있다. "네"라고 대답하는 한마디 말의 표정을 예로 살펴보자면 웃는 표정의 "네"는 밝고, 명랑하며 확 트인 느낌이 들며 찌푸린 표정의 "네"는 어떤 생각을 결산하지 못한 느낌을 준다.

언어란 반복된 체계에 의한 소리의 발생에 따라 얻어지는 일련의 습관으로 가족과 같은 언어 집단의 구성원들에 의해서 유아기에 습득된다. 물론 언어를 주고받는 개개인의 개인적인 차이는 있으나 개인적인 체험에 따라 단어나 형태에 대한 감정적인 관계나 반응이 달라진다.

가. 언어 환경

말과 표정은 마음을 거짓 없이 나타내는 생리적 표현이다. 말을 배우는 초기부터 명랑한 말의 표정을 하나하나 인상 깊게 심어 주는 것이 좋다. 이 작은 경험은 표정이 있는 말을 몸에 붙이게 된다. 말이란 감정을 나타내고 의사를 소통하기 위한 문자 따위의 수단에 비해 더 빨리 의사를 전하게 된다. "어떻게 된 거야?" "나도 모르겠어." 등과 같은 표현은 눈을 크게 뜬다던가, 두 팔을 벌리며 어깨를 으쓱하는 등의 동작과 함께 만인 공통으로 빠른 의사를 전달한다. 이러한 의사전달의 보조적인 표현은 삶에 대단히 중요한 역할을 하므로 어릴 때부터 언어와 함께 자연스럽게 이해되어야 한다.

그렇다고 특정한 시간에 학습을 통하여 배울 문제도 아니기 때문에 언어 환경으로 말하는 이야기 동화를 하는 어머니나 선생님의 분위기 속에서 자연스럽게 경험할 수 있도록 배려되어야 한다. 이뿐만 아니라 말은 조용히 하면서도 강하고 확실한 태도를 보이는 언어생활은 사회생활에 가장 중요한 한몫을 하게 된다. 어린이 주변에는 반드시 이런 언어 환경이 중요하다.

나. 만 3세 어린이

세 살 난 유아에게 이야기를 들려준다는 것은 매우 어려운 일이다. 심리학자들은 집중력이 5초를 넘어서지 않는다고 말하고 있다. 그만큼 정서적 안정이 되지 않고 주변 환경의 변화나 사람에 대한 호기심이 강하여 조금만 움직여도 관심의 초점이 바뀐다. 3세 아이에게는 이야기를 들려주기보다는 앞서서 먼저 친숙해지는 것이 선결문제이다.

동화를 이야기할 때 소도구를 많이 쓰는 것은 이야기보다 소도구에 관심을 끌어 이야기를 듣는 태도가 올바르지 않지만 움직임에 호기심을 주어 누구나 알고 있는 이야기를 들을 때는 여유를 보이기 때문에 여기서는 손가락을 호기심의 하나로 유도하면서 즐거운 우리 집 이야기를 시연해 보기로 한다.

이야기에 앞서 즐거운 손 유희 노래 "곰 세 마리" 노래를 즐겁게 노래하여보자. 그리고 손가락의 재미를 느끼게 한 다음 생활 동화로 들어가 보자.

동화 7 - 우리 집 안녕(손가락을 세워가면서)

아침 해가 방긋방긋 웃으며 떠올랐어요.

(두 손으로 얼굴을 가린 다음 이야기를 시작한다. 손을 좌우로 벌리면 방긋방긋 웃는 내 얼굴을 내보인다. 그리고 양손의 손가락을 쫙 펴서 엄지손가락을 양쪽 뺨에 붙여 벌리며 "떠올랐어요" 한다. 이윽고 팔을 굽혀 손목을 어깨에 붙이고 손을 흔들면서, 참새가 날듯이 손짓을 하면서)

"야, 새 아침이 밝아온다."

참새들이 모여 앉아

(왼편으로 한 번, 오른쪽으로 한 번, 인사를 한다.)

"어서 일어나세요. 짹짹짹, 좋은 아침입니다."

"참새들이 밝아오는 아침을 알려주었어요. 우리 집에서 제일 누가 먼저 일어났지요. 네! 엄마요, 그렇지요."

(하고 오른손으로 주먹을 쥔 왼손 둘째 손가락을 세우고 손가락 두 마디를 굽혀 인사를 한다.)

"안녕. 그다음엔 누가 일어났을까? 누구! 아빠, 그래, 그래 아빠 안녕히 주무셨어요?"

(하고 엄지를 세워 한 매듭을 굽히며 인사를 한다.)

(다음에는) "형과 누나가 일어나서 안녕히 주무셨어요?"

(중지와 약지를 세워 인사를 한다.)

이젠 맨 끝에 내가 남았네.(기지개를 켜며)

"안녕"

(잠이 덜 깬 상태로 하품을 하면서 새끼손가락을 세워 인사를 하고)

"네, 빙그레, 식구가 모두 일어났군요. 모두 먼저 싹싹싹, 이를 닦고 세수를 했어요. 그럼 아침식사는 무엇으로 할까요? 응, 식빵이 맛있겠군요."

"아빠는 두 장"

(오른손 손가락으로 몇 장인가를 보여도 좋다.)

"엄마는 한 장, 형은 세 장, 와…. 누나는 두 장 그리고 나는 한 장, 냠냠냠… 네, 아침 식사가 끝났어요. 다녀오겠습니다. 맨 먼저 아빠가 회사에 가셨어요.(엄지를 굽히면서)

"다음에는 형이 학교에 다녀오겠습니다, 누나도 학교에 다녀오겠습니다."

(중지에 이어서 약지를 굽힌다)

"나도 유치원에 다녀오겠습니다, 어!? 나 혼자 남았네. 누굴까 그렇지 엄마야."

"엄마는 뭣하실까? 엄마는 이제부터 대단히 바쁘셔요. 쓸고… 닦고… 청소하고 빨래하고 혼자서 점심 먹고 시장에 다녀오시면, 어 어 어 벌써 누군가가 돌아왔어요. 내가 제일 먼저야."

(새끼손가락을 세운다) "다녀왔습니다."

"이번에는 누나가 다녀왔습니다, 그리고 형이 다녀왔습니다, 그리고 밤이 되어 아빠가 안녕히 다녀오셨어요." (하고 약지, 중지, 엄지를 차례로 세운다.)

욕실에 들어가 손발을 씻고 모두들 모여서 저녁을 먹었어요, 그리고

엄마 아빠 형 누나 모두 모여 텔레비전을 보며 즐겁게 이야기하다가

"아 졸려"(하품하면서)

"내가 먼저 안녕히 주무세요. 그리고 형과 누나가 안녕히 주무세요. 응, 아빠도 그만 자야지. 그럼 잘 자라. 끝으로 엄마 안녕히 주무세요."

(소지, 약지, 중지, 엄지, 인지를 차례차례로 굽힌다. 그리고 왼손 오른손을 합장하고 자는 모습으로)

"모두 쿨쿨 잠이 들었어요."

단순한 내용이지만 이것만으로도 아이들은 대단히 좋아한다. 좋아한다는 것은 이야기가 쉽고 내용을 잘 이해하며 가정에서 있었던 일이 그림처럼 표현된다.

이 이야기가 진행되는 사이에 식구들을 한 사람, 한 사람에 대해 생각해 보게 된다. 그리고 새삼스럽게 할머니나 엄마의 그리움에 흠뻑 젖었을지도 모른다. 어느 유아원에서 이런 이야기를 했더니 '선생님, 빨리 집에 가고 싶어요' 하는 아이도 있었다.

동화라고 하지만 3세 어린이가 대상이므로 기복이 심한 이야기는 피하는 게 좋다. 줄거리가 여러 가지로 뻗는 것은 혼동되기 쉽다. 등장인물은 되도록 가족이나 또래의

어린이나 일상생활에서 자주 접하는 강아지, 고양이, 닭, 오리, 금붕어…. 좋아하는 동물은 코끼리, 토끼, 말, 돼지, 다람쥐 등의 이야기가 좋다.

이 이야기 속에 손가락을 이야기 도구로 사용하였듯이 이야기를 듣는 집중력을 길러 주기 위해서 유아 자신이 가능한 범위의 동작은 흥미를 유발하면서 집에 돌아가면 모방을 하려고 노력하게 된다.

다. 만 4세 어린이

3세 어린이와 역시 다르다. 일 년 사이지만 많은 언어를 습득하여 듣는 말의 이해도 빠르고 소화도 잘된다. 새로운 말을 학습하려는 의욕도 강하여 또래나 가족과의 대화도 좋아한다. 학자에 따라서는 '언어 확충기'라고도 한다. 이야기를 무척 좋아해서 어린아이라고 생각해서 짧은 이야기를 해주면 "그것뿐이야? 더 긴 이야기해 주세요."하고 조르기도 한다. 듣는 인내력도 생겨서 15분에서 20분 정도의 동화를 듣는 인내력을 갖게 된다. 일 년 사이에 경험도 많아서 좋아하는 이야기는 몇 번이든 반복해 들으려고 하고 제법 깔깔대며 아는 척도 하지만 구체적으로는 알고 있지 않은 경우가 많다.

4세 어린이도 3세와 같이 입으로만 이야기를 들려주기보다는 주의를 집중시키고 호기심을 끌어 흥미를 갖게 하는 게 좋다. 즐겁게 이야기를 들을 수 있도록 소도구를 이용한 재미있는 이야기 동화가 바람직하다. 한 예로서 누구나 쉽게 만들 수 있는 탁구공 인형을 권유한다. 단 이것은 이야기에 흥미를 느끼도록 하는 한 수단일 뿐, 이야기의 목적은 아니다.

동화에 앞서 흥미를 자아내는 간단한 인형을 만들어 보자.

탁구공에 둘째손가락이 들어갈 만한 구멍을 둥글게 파내어 손가락을 끼우고 검정 에나멜로 머리, 눈, 코, 입을 그린다. 이 인형을 두 개 만들어 좌우 양손의 둘째손가락에 끼우면 가장 작고 간단한 인형극을 할 수 있다. 인형극이라 하면 인형만 보이고 조종하는 사람은 뒤편에 숨어서 하는 것이 보통인데 여기서는 이야기를 하는데 인형을 등장시킴으로 전신을 노출하고 오른손에는 남자 탁구 인형, 왼손에는 여자 탁구 인형을 끼우고 인형을 조정하면서 이야기를 한다.

이야기 인형 놀이는 이야기를 들려주기 전에 주의력과 집중력을 환기하기 위한 뜸들이기로 활용하면 적격이다.

옛날에는 "옛날 옛적에" "아주 먼 옛날" "호랑이가 담배 피던 때"라고 뜸을 들여 말을 했었다. 시대에 따라 어린이들의 환경도 변했고 지적 수준도 달라져 이야기 이전에 뜸 들이기 수완도 좀 더 달라져야 할 것이다. 이런 점에서 탁구공 인형 놀이는 시각을 응용한 재미있는 이야기의 실마리가 될 것이다.

탁구공 인형 놀이를 시연할 때는 되도록 호주머니가 많은 상의를 입으면 좋다. 그리고 호주머니 속에 인형을 감추고 필요에 따라 사용한다.

동화 8 – 탁구공 인형 만들기(기구를 응용한 생활동화)

"여러분 안녕하세요…."

(대답이 없거나 시원치 않으면 깐돌이 목소리로)

"아 하하하 우리 친구들은 인사도 할 줄 모르나 봐."

(어느새 깐돌이를 왼손 손가락에 끼고 높이 들어 주의를 집중시켜 놓고 본인은 모른 척하고 진행을 한다.)

"어! 누가 이러는 거야, 너 누구야?"

"깐돌이지요."

"뭐라고 깐돌이!"

"그래요. 꼼순이 친구예요."

(이때 오른손 손가락에 꼼순이가 나타난다.)

"깐돌아, 놀자. 우리 숨바꼭질하고 놀자."

"그래, 그래그래 그럼 네가 술래다."

"그래, 그래그래 꼭꼭 숨어라. 머리카락 보일라. 숨었니? 멀었니?"

(깐돌이는 여기저기 숨을 곳을 찾다가 머리 꼭지에 숨는다. 꼼순이를 찾아다니며 아이들과 대화를 한다.)

"어! 어디 숨었니? 깐돌아, 어디 있어? 애들아, 애들아, 깐돌이 숨은 곳이 어디니?"

아이들이 가리키는 대로 뒤꼭지에 찾아가면 깐돌이는 오른팔 팔꿈치 밑에 숨는다. 아이들이 "거기요, 저기요." 하면 꼼순이는 여기저기 돌아다니며 "여기? 여기?" 하면서 아이들과 호흡을 맞출 때 깐돌이를 찾아내 보여준다.

이쯤 되면 아이들과 완전한 교감이 된 것이다. 따라서 아이들은 집중하면서 재미있게 이야기를 끝까지 잘 들을 수 있게 된다.

라. 만 5세 어린이

3, 4세에 비하면 어른스러운 면이 보인다. 처음부터 이야기를 들려주어도 얌전하게 잘 듣는다. 그러나 처음엔 어느 정도 단순하면서 웃기는 요소가 있는 이야기를 선호한다는 것을 생각해두자. 만 4세를 경계로 유아의 전기와 후기로 나누어 생각할 수 있다.

대체로 엄마의 힘을 벗어나 혼자서 행동하려는 노력이 보이며 사회의 일원으로 남과 어울리려 하고 무엇이든 쉽게 생각하고, 쉽게 믿고 생각대로 행동하려 한다.

어릴 때의 유치어(幼稚語)는 사라지고 자기중심적인 언어가 발달하고 발음도 비교적 정확해진다. 정서 면으로는 침착해지고 신경질적인 행동은 없어지고 차츰 무서움을 타는 것이 줄어드나 몸을 다치거나 구체적인 대상이나 억수같이 쏟아지는 비, 사이렌 등을 무서워한다. 호기심이 강한 시기이다.

동화 9 – 웃기는 치과의사 하마 선생님(웃기는 이야기)

어느 숲속 동물 마을에는 이상한 일이 생겼어요.

"어, 어이쿠, 이야…. 어이쿠, 이야…."

동물 마을 짐승들은 이를 싸매고 하마 치과의원 대기실에 앉아서 차례를 기다리면서 쑥덕쑥덕 수다를 떨고 있었어요.

무슨 일이 생겼나, 하고 가만히 들어보니까 멋쟁이 여우가 말하는데,

"치과의사 하마 선생님은 요사이는 조금도 웃지 않아요."

"네, 그래요. 그 무서운 얼굴을 보면, 아프지 않은 윗니 아랫니가 모두 솟구쳐 아프지 뭐예요?"

이 말을 듣고 놀란 토끼가 커다란 귀를 숙이며 걱정을 하고 있었어요.

그러자 너구리가 하마 선생님께 진찰을 받고 나온 이야기를 했어요.

"외 왼쪽 이에, 추 충치가 있는 것 같아요…."

"푸하…."

하마 선생님은 무표정한 얼굴로 아무 말도 하지 않으시고 커다란 입을 조금 열고 '푸하….' 하고 한숨을 내쉬었어요. 너구리는 이가 아프니까 한쪽 입만 조금 열고

"다음에 언제 올까요?"

"푸하!"

"어쩌면 좋지요? 이 일을 어떻게 하면 좋지?"

이 말을 듣고 대기실에 동물들은 모두 소곤소곤 웅성거리기 시작했어요.

"요사이 하마 선생님이 좀 이상하지 않니? 한 번도 방긋 웃는 걸 못 봤어."

"언제나 입을 꼭 다물고 대답은 '푸하…' 하신단 말이에요."

"하지만 아픈 이는 잘 봐주시니까 오긴 오지만 사실은 하마 선생님의 조그만 눈에 커다란 입, 씩씩거리는 코. 선생님 얼굴만 보고 있으면 머리가 아프단 말이야."

"하지만 마을에는 치과 병원 딱 한집밖에 없으니까. 아무리 하마 선생님 얼굴이 무서워도 충치가 생겨 아프면 안 보일 수 없으니 큰일이야."

하고 수다를 떨었어요. 밤중이 되어서 모두 돌아간 다음, 하마 선생님은 화가 잔뜩 나혼잣말을 하고 있었어요.

"어이쿠, 이야! 나도 충치가 있어서 이가 아파요. 환자들에게 방긋 웃으며 말하고 싶었지만 이가 아파서 입이 벌어져야지. 그런데 이런 사정도 모르고 내 얼굴이 무섭다니. 나는 너무너무 바빠서 치과에도 못 가고 충치가 심해진 거야. 어이쿠, 이야!"

"아픈 건 나도 싫어 치과에 가기 싫어! 아 참, 그렇지. 내가 치과 의사지? 아프지 않게 충치를 낫게 하는 방법을 생각해 봐야지."

이런 생각으로 즉시 실험을 시작했어요.

첫 번째로 먼저 냉랭 썰렁 실험을 했어요.

얼음으로 부은 곳의 열을 내리면 이 아픈 것이 나을지 몰라.

(얼음주머니에 얼음을 넣고 턱에다 대는 마임)

"으아…. 얼어붙는다!"

첫 번째는 실패했어요. 다음 두 번째는 하마 춤을 실험했어요.

춤을 추면서 즐겁게 떠들어대면 충치도 즐거워 입에서 나올지도 모르지.

(하마처럼 둔한 춤을 추다가 이가 아파 턱을 만지며 쓰러지는 마임)

"어, 어이쿠 아파!"

두 번째도 실패를 했어요. 이번에는 세 번째는 낮잠실험을 했어요.

낮잠을 자면 충치도 낮잠을 자는 사이에 낫고 말 거야.

(손수건을 이불처럼 가슴에 덮고 눈을 감고 잠자는 마임)

"아이고, 아이고, 아파. 꿈속에서도 아팠어요."

세 번째도 실패를 했어요. 네 번째 실험은 물구나무서기 실험! 물구나무를 서면 충치 벌레가 뛰어 나오지 않을까?

(물구나무를 서듯 흉내로 마임을 하고 머리를 '꿍' 찧는다.)

"아! 물구나무서다 머리만 다쳤잖아."

네 번째도 실패를 했어요. 이번에는 다섯 번째 둔갑 실험.

(두 손을 합장하고 눈을 감고 심각하게)

"충치야 없어져라. 나불나불 내불….

얏! 으아, 이가 다 빠지고 말았어. 앙…."

(이 빠진 할머니처럼 입술로 이를 감싸고 두 손을 턱 옆에서 떤다.)

하마 선생은 여러 가지로 해 봤지만 낫지 않았어요.

"충치는 치과 의사에게 치료 받을 수밖에…."

여기서 하마 선생은 용기를 내어

이웃마을의 악어 치과 의사에게 가기로 했어요.

악어 치과 의원 집 앞에는 이가 아픈 동물들이 와글와글 모여 있었어요.

"어떡하지? 이는 치료받아야 하는데 악어 선생의 얼굴이 무서워서.

고릴라 씨 먼저 하세요."

"아냐, 먼저 하세요, 악어 선생 솜씨는 훌륭하지만 정말 떨려요."

"난, 나는 악어 선생의 얼굴을 보기만 해도 이가 먼저 아파 버려요."

어떻든 악어 선생은 무서운 얼굴의 치과 의사 선생님이었어요.

하지만 하마 선생은 차례가 되자 용기를 내어 들어갔어요.

야! 악어선생은 정말 무서운 얼굴이었어요.

"저…저는 이웃 마을에 사는 치과의사 하마입니다. 조그만 충치를 그대로 뒀더니 입을 움직일 수도 웃을 수도 없을 정도로 아파서 입을 꼭 다물고 있었더니 모두들 나에게 무서운 하마 선생이라고 부르고 있어요."

하마 선생은 겨우 여기까지 말하고 입을 크게 벌렸어요.

그러자 악어 선생도 커다란 입을 딱 벌렸어요.

"나도 하마 선생과 같이 충치가 있어서 웃을 수 없답니다."

그래서 하마 선생은 악어 선생의 충치를 악어 선생은 하마 선생의 충치를 서로 치료해 주었어요.

"충치는 빨리 치료하면 조금도 아프지 않아요. 이렇게 내버려두면 이가 아파 얼굴이 통통 붓고 유치원 친구들도 만나지 못하고 킁킁 앓으면서 아무것도 못 먹고 집에 누워있어야 할 거예요."

하마 선생과 악어 선생은 서로 충치를 잘 치료해서 지금은 방긋방긋 웃으며 동물 친구들의 충치를 치료해주고 있을 것이에요.

이제 이 닦기를 잊어서는 안 되겠지요?

제 4 장

이야기 동화의
선택과 문제점

어린이가 이야기 동화에 흥미를 갖게 되는 것은 이야기를 들으면서 바로 자신과 비교하여 주인공의 행동을 비판하고 줄거리를 따라 제멋대로 생각해가는 즐거움이 있기 때문이다. 다시 말해 이야기 속에 이야기를 창작해가는 내적인 기쁨을 만끽할 수 있기 때문이다. 때로는 상상이 미치지 않은 지혜로운 방법으로 그 어려운 수난을 이겨내는 주인공의 슬기에 감탄하고 과장된 동식물의 위협 앞에서 공포에 떨지만 아픔과 고통을 이겨내어 마침내 인간승리의 기쁨을 누리는 감동은 마치 자기 자신이 승리한 것처럼 이야기에 몰입한다. 이 순수한 감흥은 이야기 동화만이 줄 수 있는 최선의 정서이다.

1. 좋은 동화의 범주

이웃 나라의 일본의『유치원 교육지도서— 일반 편』은 "좋은 동화의 범주를 이렇게 소개하고 있다.
　㉠ 아기의 성장 발달에 적절한 것.
　㉡ 인간 형성에 도움이 되는 것.
　㉢ 활동성이 넘치고 어린이다운 상상이 깃들어 있는 것.

이렇게 세 가지의 조건을 중요시하고 있다. 한 마디로 '재미있고 유익한 것'이라고 말할 수 있다. 하지만 '유익한 것'이라고 하더라도 교훈적인 면이 강조되어 있으면 도리어 어른의 생각을 일반적으로 강요하게 되어 도리어 아동발달에 저해가 된다.
어린이를 위한 동화라는 것은 어린이들이 동화세계에 빠져있는 동안 자연스럽게 무언가가 몸에 스며들어 인성의 기저를 엮어 주는 것이다. 다시 말해서 어린이가 빠져드는 동화란 구체적으로 무엇일까.

2. 어린이는 왜 동화에 빠져 드는가

심리학자와 어린이정신의학자들이 모여 어린이를 위하여 쓴 문학의 재미를 어린이의 인식이나 심리에 대해서 과학적으로 연구하는 연구회를 만들어, 어린이의 입장에서 본 이야기의 재미란 무엇인가를 분석하여 다음 18가지 요소를 모색한 내용을 함께 살펴본다.

1) 소재의 친근성
⇔ 이야기에 나오는 소재나 인물이 해당 연령의 어린이에게 어느 정도 친근감을 가질 수 있는 것인가.

2) 욕구의 반영도
⇔ 이야기 속에 등장인물 (주로 주인공)의 욕구가 어느 정도 그려져 있는가.

3) 욕구 만족의 정도
⇔ 그 욕구가 이야기 끝까지 미쳐있는가.

4) 자연스러움
⇔ 이야기의 흐름에 어린이가 부자연스런 저항을 느끼지 않고 따라갈 수 있는가, 줄거리에 무리는 없는가.

5) 동화될 수 있는 가능성
⇔ 등장인물에 어린이 자신이 어느 정도 동화될 수 있는가.

6) 활동성
⇔ 등장인물이 활동적으로 그려져 있는가.

7) 스릴
⇔ 다음은 어떻게 될까 하는 희망찬 기대를 가질 수 있는가.

8) 기계적 리듬

⇔ 외면적 리듬감, 주로 문장이 갖는 리듬이 있는가.

9) 구성적 리듬

⇔ 내면적 리듬감, 이야기 구성 자체에 되풀이 기복되는 리듬이 있는가.

10) 난센스

⇔ 비일상적인 것, 평범한 현실의 부정 등이 있는가.

11) 기지, 유머가 있는가.

12) 과장

⇔ 적절한 과장이 있는가.

13) 이미지의 구체성

⇔ 사건이나 인물이 눈에 보이듯이 생생한가.

14) 논리성

⇔ 이야기 전체의 일관된 논리가 있는가.

15) 이야기의 명도

⇔ 이야기 내용에 어두운 곳이 없는가.

16) 시적 정서

⇔ 어렴풋이 느끼고 마음속에 절실한 감동을 일으키는 일들이 있는가.

17) 교훈성이 없는가

⇔ 어른들의 일반적인 교훈을 밀어붙이는 일은 없는가.

18) 조화와 균형

⇔ 이야기 전체에 정리가 되었나.

이상은 특정한 이야기를 중심으로 얼마나 재미있는가를 분석하는 가운데서 찾아낸 기준이다. 현재 펴내고 있는 모든 동화에 적용되는 것은 아니다. 전승동화, 생활동화, 공상동화에는 각각 다른 기준을 필요로 할지 모르지만 이러한 경우에도 어떤 관점으로 보아야 하느냐, 하는 관점의 길잡이가 되리라고 본다.

3. 이야기로 들려주는데 알맞은 동화
- 읽어서 들려주기와 말하는 이야기

어린이들 중에는 글을 자유롭게 읽을 수 있는 어린이도 있지만, 개중에는 글을 하나둘 주워 읽는 어린이는 마치 어른의 어설픈 외국어처럼 글은 읽을 수는 있지만 글을 이해하지 못하는 경우가 있다.

따라서 일반적으로 어른이 읽어 주거나 이야기를 들려주는 것이 보통이다. 같은 동화라도, 눈으로 보는 동화와 귀로 듣는 동화는 그 영향에 있어서는 미묘한 차이가 있다.

'눈으로 보는 동화'란 어린이가 글로 읽는 동화와 귀로 듣는 동화 그림동화 처음부터 이야기로 들려주기에 알맞게 창작된 동화도 있으며 이밖에도 읽어주고 이야기로 들려주기에 알맞게 개작할 수도 있다.

들려주는 동화는

① 동화의 선택

② 번안, 각색, 개작 (긴 원작을 줄이거나 말하기 힘든 부분을 고치거나 하는 일)

③ 외우기

④ 이야기로 들려주는 것 등 4가지 단계를 밟아야 하지만 이중에서 어떤 동화를 선택하는가가 가장 중요한 일이다.

이때 주의할 것은 눈으로 보고 읽을 때는 재미있고 마음에 닿던 동화가 소리 내어 이야기할 때 반드시 마음에 닿는다고 할 수는 없다. 어떤 종류의 동화는 소리를 내어 이야기할 때 가장 효과적인 때도 있다. 특히 이야기로 들려주는데 적절한 동화는 장면 장면이 생생한 그림처럼 살아 움직이는 연상 속에 줄거리의 통일미가 있고 사건을 쌓아 올라가면서 최고조에 이르러 납득이 가는 결말에 이르러야 한다.

4. 마음껏 뛰놀 수 있는 세상을 주세요

나의 꿈, 나의 소망, 그리고 우리 사랑의 결정체인 아기가 태어났어요. 기쁨의 눈물이 흐르고 내 인생이 온통 환희로 뒤덮여 온 세상이 새롭게 바뀌었어요. 우리 아기에게 어떤 최고의 선물을 주어야 할까요, 엄마가 된 나의 소망은 아기에게 온갖 꿈을 담고 있어요.

위대한 정치가? 훌륭한 학자? 놀라운 발명가? 아니면 평범하고 성실한 일꾼? 막연한 이 꿈을 실현할 수 있는 구체적인 방법을 알고 싶어요. 아기는 말도 못하고, 어떤 것을 좋아하는지 알 수가 없으니까요.

이 글은 아기를 처음 낳은 엄마가 막연한 이 꿈을 실현할 수 있는 구체적인 방법을 알고자 질문해온 내용을 발췌한 글이다. 그렇습니다. 이 진실한 질문의 해답을 구해 보기로 해요.

아기는 나날이 달라지는 하나의 인격체이다. 뿌리가 깊은 나무는 바람이 불어도 끄떡 없듯이 당장 무엇을 바라기보다는 든든한 뿌리를 심어 주어야 한다. 우리 아기가 성장해서도 나와 아빠, 그리고 가족, 사회에 대한 깊은 신뢰감과 책임감, 자기 확신과 자신감, 탐구심과 상상력을 확산시킬 수 있는 바탕을 마련해 주어야 한다. 물질문명이 발달한 서구는 물론 우리나라에서도 점차 번져 가는 인간적인 분열상, 가정 파탄의 원인이 어디에 있는가, 우리 함께 가슴을 풀어놓고 생각해보자.

기본적인 문제는 마음이 제대로 서 있지 않기 때문이다. 나를 이날까지 굳건하게 해준 바탕은 엄마의 가슴속에서 가슴으로, 할머니의 무릎을 베고 듣고 또 듣던 이야기이다. 울고 웃고 재미있고 나도 크면 그렇게 해야지 하고 가지각색의 꿈나라를 엮어준 이야기가 바로 동화이다. 그 속에는 우리 조상의 숨결과 지혜는 물론 수많은 삶의 경험들이 길을 밝히고 있다.

그렇다고 아기와 생활을 할 수 없어서 동화책을 사주어도 어휘가 어렵고 재미가 없어 그림만 보고 던져버리는 안타까움이 가슴 아프다. 바로 아기의 성장에 따른 능력을 고려하지 않은 동화책을 선택하였기 때문이다. 아기의 교육은 엄마가 먼저 좋은 이야기를 보고 듣고 잘 소화시켜서 아이들의 나이에 맞추어 쉽고도 재미있게 엄마의 사랑과 함께 전해 주는 이야기이다. 이거야말로 아기가 제일 좋아하는 이야기 중의 이야기 동화가 될 것이다.

5. 어떤 동화를 선택해야 하나

좋은 동화를 고른다는 것은 쉽고도 어려운 일이다. 이야기해주려 할 때 사람은 자신이 잘 이해하고 즐겨하는 동화가 아니면 어린이 앞에서 확신을 가지고 이야기해줄 수 없을 것이다.

이 점을 역으로 생각할 때 이야기의 뜻이 무엇인지 모른 상태에서 이야기를 해준다는 것은 실패의 원인이 된다. 그러나 말을 잘 못하는 사람도 자기경험을 이야기할 때 듣는 사람에게 생생한 인상을 주어 이야기를 매혹시키듯이 이야기를 들려주려는 어머니나 유아 교육자는 자신의 강한 흥미와 집념을 갖고 어린이에게 접근하여 이야기의 참뜻을 들려주겠다는 의지를 가지고 동화 연구를 해야 할 것이다.

다시 말해서 어머니나 유아교육자는 동화와 어린이 사이의 중계자로서 대단히 중요한 위치에 있다. 말하는 이야기 동화는 이야기의 참뜻이 거리낌 없이 자유롭고 재미있게 전달되어야 하기 때문이다. 따라서 이야기하는 자신이 정말로 이야기의 뜻을 알고 이야기의 맛을 알고 어느 곳을 어떻게 얘기해야 가장 재미있고 즐겁게 전할 수 있다는 자신감을 가질 수 있는가. 이것은 숙련된 체험이 없어서는 진정한 이야기를 들려 줄 수 없기 때문이다.

그러나 어머니나 유아교육자가 흥미를 못 갖는 경우를 제외하고는 환상적이고 마음에 감동을 주고 익살스런 웃음이 있는 우화 등 여러 가지 분야의 동화를 선택하여 주는 것이 좋을 것이다.

6. 잔인하고 추한 동화는

들려주는 이야기 중에 특히 민화나 옛날이야기에는 추악한 인간상, 잔혹한 장면 등 복잡한 인간사를 그린 줄거리가 적지 않게 있다. 이러한 줄거리를 어린이에게 피하는 것이 좋다. 혹은 개작하자는 의견도 만만치 않다. 이러한 것은 어린이에게 직접 이야기 해주어도 되느냐, 안 되느냐의 문제이겠지만 이것은 적절한 생각이라고 할 수는 없다.

왜냐하면 어린이가 살아가는 사회에는 선도, 악도, 아름다운 것과 추한 것도 서로 뒤섞여 존재하고 있는 현실인데 어린이만을 현실에서 격리하여 온실 속에 가두어 둘 수 없기 때문이다.

수많은 이야기 속에 나오듯이 선과 악이란 쉽게 분별할 수 있는 단순한 것이 아니다. 인간 사회는 각양각색의 모순을 안고 성립되어 있다는 것을 완전히 이해시키기는 불가능하지만, 어릴 때부터 이야기를 통하여 서서히 알아가는 것은 대단히 중요한 일이다. 따라서 그 잔인성이나 추한 것을 어린이의 나이에 알맞게 그 농도를 조정할 필요가 있다. 그 예는 일곱 마리의 양과 늑대이야기를 두고 그 방법과 정도를 생각해 보자.

7. 개작 동화를 어떻게 생각하나

예를 들어 민화는 민간에 전승된 설화로서 원화 그대로라면 어린이에게 그대로 들려주기에는 추하거나 잔혹한 면이 있다. 그렇다고 이러한 장면을 제거하거나 줄거리를 바꿔 버리는 것은 바람직하지 못하다. 그 민화가 가진 본래의 의미를 살리면서 듣는 대상의 정도에 따라 알맞게 보다 재미있고 흥미롭게 고치는 것을 개작이라고 한다. 또한 읽는 동화(문어체로 된 문장 동화)를 그대로 이야기로 들려준다는 것은 어렵기 때문에 보통의 대화에서 쓰는 알아듣기 쉬운 구어체로 줄거리의 참뜻을 손상시키지 않은 범위에서 보다 재미있게 개작 즉, 어답테이션(adaptation)하는 것이 그 본질을 실추하지 않은 정도의 개작은 당연히 필요한 것이다.

읽기 위해서 쓴 동화는 그대로 이야기해주기가 어색한 점이 있고 본 줄거리와 관계없이 너무나 묘사를 섬세하게 했다면 잘라내는 쪽이 어린이가 알아듣기 쉬울 때가 있다. 그러나 중요한 장면은 삭제할 수 없다. 이야기에는 반드시 짚고 넘어가야 할 주요 부분이 있다. 즉 어린이의 호기심을 끌어당기는 이야기의 발단이 있고, 필연성이 있는 몇 가지의 사건, 클라이맥스 그리고 결말이다. 이야기를 들려줄 때는 잊어버린 곳을 책처럼 다시 볼 수는 없기 때문에 흥미를 상실하지 않게 줄거리를 잘 기억해 두도록 유의해야 한다.

(이 동화에서 늑대의 배를 갈라 양의 새끼를 구하는 장면과 늑대의 뱃속에 돌을 넣어 물에 빠지게 한 장면이 잔인하게 들릴까 혹은 유아들이 기쁨을 느낄까 하는 문제를 다시 생각해보자.)

옛날 옛적 깊은 산중에 한 마리의 엄마 양이 일곱 마리의 착한 양과 즐겁게 살고 있었어요. 오늘도 엄마 양이 먹을 것을 구하러 시장에 가면서 일곱 마리의 어린 양들을 불러서 말했어요.

"엄마가 시장에 가고 없는 동안 고약한 늑대를 조심해야지. 엄마가 밖에 나가면 문을 꼭 잠그고 누가 오든지 문을 열어 주어서는 안 돼요."

"네 알았어요. 엄마."

일곱 마리의 어린 양들은 씩씩하게 대답을 했어요.

"그럼 다녀오겠다. 집 잘 보아라."

"네 엄마, 안녕히 다녀오세요."

엄마 양은 안심하고 먹을 것을 구하러 산으로 갔어요

"야…. 엄마 가셨다. 우리 술래잡기하고 놀자."

"그래, 가위 바위 보로 술래를 정하자 가위바위…."

그때였어요. 똑똑똑…. 문을 두드리는 소리가 들렸어요.

"어, 누가 벌써 왔나! 누구세요?"

어린 양들은 문 앞에 모였어요.

"문 열어라, 엄마다!"

처음 들어보는 목소리였어요.

모두들 깜짝 놀라 서로들 처다보았어요.

그 소리는 목이 쉰 늑대 목소리였어요.

하지만 문은 안으로 잠갔기 때문에 걱정 없었어요. 그러자 큰언니가

"싫어, 안 열어 줘. 우리 엄마 목소리 아니야 우리엄마 목소리는 더 예쁜 목소리야."

늑대는 하는 수 없이 어슬렁어슬렁 돌아가고 말았어요.

"갔다, 이제 안심이다. 다시 놀자."

어린 양들은 다시 술래잡기 놀이를 시작했어요. 한참 놀고 있으려니까 다시 문을 두드리는 소리가 들렸어요. 탕탕탕탕!

"애들아, 엄마야, 빨리 문 열어라. 좋은 선물도 가지고 왔어."

늑대가 몰래 목소리가 고와지는 약을 먹고 왔기 때문에 엄마 목소리처럼 들렸어요.

"엄만가봐, 문 열어주자."

꼬마동생이 문을 열려고 하자 셋째 양이 깜짝 놀라 말렸어요.

"안 돼, 믿을 수 없어. 손발도 봐야 해."

그러자 늑대는 문이 열리면 달려들려고 문 위로 발을 올려놓았어요.

"어? 그것 봐. 발이 새까맣지 않아. 너는 늑대야."

"뭐라고?"

어린 양들은 깜짝 놀라 서로 꼭 껴안았어요. 그러자 막내가 화가 난 목소리로 소리쳤어요.

"우리엄마 손은 하얀 손이야!"

늑대는 그 무서운 발톱으로 문짝을 우두둑 긁어내리며

"음…. 지독한 놈들이군. 두고 보자."

하고는 쏜살같이 빵집으로 뛰어가 그 날카로운 이빨을 드러내며

"빨리 내 손발을 하얗게 밀가루를 뿌려라."

"그래, 그래."

빵집 주인은 늑대가 무서워서 하라는 대로 발을 하얗게 밀가루를 칠해주었어요.

늑대는 곧 바로 양 집으로 달려갔어요. 탕탕탕 문을 두드리며

"엄마다, 빨리 문을 열어라, 어서"

하지만 어린 양들은 문을 열지 않고 조심조심 문구멍으로 내다 봤어요

"뭣하니? 빨리 문을 열지 않고."

"그럼 발을 보여 주세요."

큰언니의 말을 듣고 늑대는

"아니, 너희는 엄마 목소리도 잊었니? 자, 이 선물을 봐!"

하면서 선물을 든 하얀 발을 문틈으로 내 밀었어요

"야, 엄마다…."

하고는 어린 양들은 문을 활짝 열어 주었어요.

"앙!"

늑대는 집안으로 뛰어들자마자 어린 양들을 통째로 삼켜버리고 말았어요.

"아, 맛있다. 아, 배불러. 슬슬 잠이 오는데 여기 침대에 누워 한잠 자고 나면 어미 양이 돌아오겠지. 그럼 또 한 마리 통째로 먹어 치워야지. 하하하…."

하고, 침대에 눕자마자 드르렁드르렁 코를 골기 시작했어요.

그때 엄마 양이 돌아 왔어요.

"어머, 왜 문이 열렸지?"

가슴이 섬뜩했어요. 엄마 양은 급히 집안으로 들어갔어요. 방안이 심하게 어질어지고 새끼들은 하나도 보이지 않았어요.

"그렇게 문단속을 잘 하라고 했는데 모두 어떻게 됐을까!?"

그때였어요. 벽시계 속에 숨어 있던 막내 양이 튀어나와 엄마에게 매달렸어요.

"앙…. 엄마 무서워. 나 술래잡기할 때 시계 뒤에 숨어 있다가 깜빡 잠이 들었는데 늑대가 와서 언니들을 다 잡아 먹어버렸어요. 앙…."

"그럼, 늑대는 어디 있니?"

"저어기"

막내 양이 가리키는 옆방에 가보자 커다란 늑대가 코를 드르렁거리며 자고 있었어요.

"엄마, 배가 꿈틀거려. 언니들이 살아 있나봐."

"뭣이? 살려내야지. 어서 가위를 가져오너라."

막내 양이 가위를 가져오자 엄마는 가위로 싹뚝싹뚝 늑대의 배를 갈랐어요.

"엄마아…."

"엄마아아…."

갈라진 늑대 뱃속에서 어린 양들이 쏟아져 나왔어요. 여섯 마리 모두 나왔어요. 새끼들은 좋아서 와글와글 엄마에게 매달렸어요.

"쉬…. 애들아, 늑대가 깨면 큰일이야. 빨리 돌멩이를 모아 오너라."

어린 양들은 부랴부랴 뛰어가 돌멩이들을 모아왔어요.

엄마는 그 돌을 모두 늑대 뱃속에 넣고 배를 꿰매버렸어요. 그때서야 커다랗게 하품을 하면서 늑대가 잠을 깼어요.

"아, 참 잘 잤다. 목이 마르다 물 가져와."

양들은 깜짝 놀라 침대 밑으로 숨었어요.

"응? 왜 대답이 없지?"

하고 방안을 돌아보더니

"아, 그렇지 양들을 다 잡아먹고 아무도 없으니 할 수 없지. 샘에 가 물 좀 마셔 볼까."

하고 일어서려다가 그만 주저앉고 말았어요.

"이상하다. 왜 이렇게 배가 무겁지? 아참 그렇지 맛있는 새끼 양들을 한꺼번에 여섯 마리나 먹어서 그렇구나. 야, 정말 신나게 먹었지."

늑대는 한참만에야 이리 비틀 저리 비틀거리며 샘에 왔어요. 그 뒤에는 꼬마 양들이 살금살금 따라왔어요.

늑대가 물을 마시려고 허리를 굽히는 순간 양들이 힘을 모아 샘에 확 밀어 버렸어요.

"풍덩!"

늑대는 깊은 물에 빠져 버렸어요.

"만세, 만세…."

늑대는 배가 무거워 영영 물위에 떠오르지 못했어요.

『늑대와 일곱 마리 어린양』과『빨간 모자 아가씨』는 그림형제에 의하여 다듬어진 독일의 민화이다. 어느 측면에서 보자면 늑대가 사람을 잡아먹고 또 사람은 그 보복으로 늑대의 배를 갈라 돌멩이를 집어넣고, 물에 빠트리는 잔혹한 장면이 있지만 그림형제는 민화가 가진 사실 그대로 하나도 감추지 않고 이야기를 다시 쓰면서 어린이가 결말을 빤히 알고 있어도 어린양의 마음과 동화하여 들을 수 있는 무섭고도 재미있는 이야기로 다시 꾸며 놓았다.

다시 말해서 온실 속의 식물처럼 어린이를 과잉보호하여 미화된 세계만을 보여주어 햇볕에 나와 약하게 살아가기보다는 모든 것을 알고 대비하는 인간상을 그리고 있다. 『잠자는 숲 속의 공주』, 『헨델과 그레텔』, 『백설공주』, 이 유명한 이야기도 악다구니 계모의 모진 압박을 그대로 보여주고 있다. 다만 그림형제는 계모의 잔혹한 면을 문학적으로 승화시켜 한 걸음 한 걸음 쌓아 올라가면서 장면마다 재미있는 수법으로 이야기를 즐길 수 있도록 고쳐놓았다. 계모의 잔혹함보다는 줄거리에 중점을 두고 호기심을 자극하면서 권선징악의 인간다운 면모를 의식화시킨 이야기는 흥미를 더하면서 몇 번

들어도 싫증나지 않은 세계 명작답다. 우리는 이러한 점을 주의 깊게 살펴봐야 할 것이다.

8. 어떤 동화들이 있나

어린이들이 좋아하는 동화의 유형은 읽거나 듣는 대상에 따라 연령별로 영아 유아 본격동화로 나눌 수 있으며 전달 방법에 따라 문장으로 읽는 동화, 이야기 동화로 나눌 수도 있다. 여기서는 모든 것을 종합해서 그 유형을 알아보자.

가. 운율 동화

운율동화란 이야기의 내용과는 별로 관계는 없으나 이야기를 운율적인 표현을 함으로서 듣는 어린이들이 운율의 즐거움으로 흥미를 갖게 하는데 있다. 특히 말하는 이야기 동화를 통하여 유아기 어린이가 처음으로 문학적 경지에 접근하게 되는 중요한 시기이기 때문에 운율적 표현의 동화에 대한 관심을 갖게 함으로써 한층 기초문학의 세계에 한발 들어서는 중요한 터전을 갖게 된다.

특히 언어를 이해하여 가는 과정에 있는 유아기 어린이의 리듬에 대한 흥미는 대단하여 이야기를 듣고 흥미있는 운율을 모방하고 이야기 속에 다시 반복되면 지적인 즐거움을 표출하여 큰소리로 웃으며 그 반응이 대단하다. 이것은 말하는 이야기 동화에 대한 흥미를 한층 높이며 동화에 자신감을 주며 듣는 태도가 향상되며 동화의 미적 감수성이 발전하고 독서 생화의 기초를 기르게 된다. 운율동화는 유아기 어린이의 기초문학의 바탕이 된다.

옛날 옛적 개울가 버드나무 집에 엄마와 아기 청개구리가 함께 살고 있었어요. 이 집에서는 아주 재미있는 일이 벌어지고 있었어요. 아기 청개구리는 엄마개구리가 "개굴개굴" 하면 "굴개굴개" 하고, "개굴개굴 개구리" 하면 "굴개굴개 구리개" 하고, 청개구리는 무엇이든지 엄마 반대로만 하고 있었어요.

"애야. 너 왜 이러니. 엄마가 답답해서 머리가 아프구나. 밖에 나가 놀다 오너라."

"싫어, 난 엄마와 놀 거야."

하고 엄마 곁을 떠나지 않았어요. 엄마는 정말 답답해졌어요.

"아니, 너 정말 이렇게 말을 안 들을 거야."

"엄마, 나 연못에 나가 놀 거야."

하고 뛰어 나갔어요. 그러자 엄마가 걱정이 되어

"너 연못에 혼자 가면 위험해. 뱀이 있단 말이야."

하고 걱정을 해도 청개구리는 연못으로 퐁당 뛰어 들었어요. 툼벙퉁벙퉁벙 서투른 헤엄을 치며 도망쳐 갔어요. 엄마는 뱀에 물릴까 걱정이 되어 뒤를 쫓아다녔어요. 겨우 청개구리를 잡아서 물가에 나왔어요.

"이러다가는 내가 오래 살 수 없겠구나. 미리미리 청개구리에게 말을 해둬야지."

엄마는 이렇게 생각하고 청개구리에게 말했어요.

"이렇게 너를 따라 다니다가 힘들어 죽거든 산에 묻지 말고 강가에 묻어 다오."

엄마개구리는 반대로만 하는 청개구리를 믿을 수가 없어서 산에 묻어 달라고 하면 냇가에 묻을까봐 반대로 말을 해 두었어요.

그리고 즐거운 노래를 가르쳐 줬어요.

"개구리가 개구리 노래를 모르면 부끄러운 일이야. 오늘은 즐겁게 따라 해보자."

하고 노래를 시작했어요.

"개굴개굴 개구리 노래를 한다."

그러자 청개구리도 신나게 노래를 따라했어요.

"굴개굴개 구리개 래노를 다한."

"아니 무슨 노래를 그렇게 하니. 똑바로 해야지. 똑바로. 자, 다시 한 번 해보자."

"개굴개굴 개구리 노래를 한다. 아들손자 며느리 다 모여서."

"굴개굴개 구리개 래노를 다한. 들아 자손 느리며 다 여서모."

"아니, 왜 이렇게 반대로만 해. 정말 속상해 죽겠네."

엄마 개구리는 너무나 걱정이 되어 그 길로 병이 들어 자리에 눕게 되었어요.

청개구리는 날이 갈수록 더 반대로만 해갔어요 엄마 개구리도 병이 더해가자 끙끙 앓다가 죽고 말았어요.

그제서야 청개구리는 엄마에게 잘못했다는 생각이 들었어요.

"어이쿠, 내가 한번이라도 엄마 말을 똑바로 들었으면 이런 일이 없었을 텐데"

하고 개굴개굴 울면서 하는 말이

"엄마 죄송해요. 이제 부터는 무슨 일이던지 똑바로, 똑바로 엄마 말씀대로 하겠어요. 엄마 용서해 주세요."

하고 엄마가 부탁하신 대로 엄마를 냇가 모래땅에 잘 묻어줬어요. 그 뒤부터 청개구리는 장마철이 되어 비가 내리려고 하면 강이 넘쳐 엄마 무덤이 떠내려 갈까봐 아침부터 저녁까지 "개굴개굴, 개굴개굴" 슬피 울게 되었다고 해요.

이와 같이 동물의 의성어(擬聲語)나 의태어(擬態語)를 리드미컬하게 듣게 되면 어린이의 흥미를 일으켜 아름다운 동화세계에 접근하게 하는 유아대상의 동화이다.

나. 우스운 이야기(소담笑談)

흔히 우리 한국사람은 외국인에 비하여 웃음이 적다고들 말하지만 이것은 잘못된 생각이다. 그동안 우리는 유교적 사회 기풍 속에서 대중 앞에 감추고 있었을 뿐, 참으로 명랑하고 웃음다운 웃음을 많이 갖고 있는 민족이었다. 그 증거로 민화나 전래동화에 숨어있는 해학으로 익살스럽고 품이 있는 소담 웃기는 이야기가 많이 숨어 있어 저절로 웃지 않을 수 없다.

웃음이란 인간에게만 허용된 특권이다. 사람들은 옛날부터 이 웃음으로 스스로 살아 있음을 위로하고 때로는 고통스런 현실을 잊는 지혜를 가졌다. 소담에서 보여주는 생생한 서민 감정은 권력자를 비꼬는 것이 무엇보다도 잘 나타나 있다.

오랜 세월을 지내면서 이 웃음이 신선미를 잃지 않은 것은 누구나 통할 수 있는 소박하고 따뜻한 서민의 감정과 피가 어울려 이어지고 있기 때문이다.

소담이란 익살스럽고 유머러스한 이야기를 말한다. 옛날부터 우리 민족의 유산으로 이어온 소담 중에는 주인공이 대체로 우둔하게 설정하여 웃음을 얻게 하는 한편 일상생활에서 선택과 분별의 실제적인 교훈을 얻게 하는 민화가 많다.

동화 12 – 똑같은 바보(우스운 이야기)

옛날, 어떤 사람이 밭에서 일을 하고 있었지. 그런데 길 건너 저만치 누가 대문하고 기둥을 짊어지고 걸어오지 않겠어.

"원, 세상에 이 더운 날씨에 대문을 지고 가다니."

하도 이상해서 짐꾼을 자세히 드려다 보니까 이게 누구야 아침에 장에 간다고 말하던 이웃집 김 서방이 아니겠어?

"아니, 여보게 김 서방 장에 간다고 하더니 웬 대문하고 기둥을 지고 오나. 아니, 이건 자네 집 대문이 아닌가?"

"그래, 그래 우리 집 대문이야."

"그럼 대문을 지고 장에 가서 팔 생각인가?"

"아니야. 내가 왜 우리 집 대문을 팔아! 자네도 생각해보게, 내가 없는 사이에 도둑이 와도 우리 집에 대문이 없으면 못 들어 갈 것 아닌가."

"아 그렇지. 아무리 날쌘 놈이라도 대문이 없으면 못 들어갈 거야."

"그래서 내가 그 도둑을 미리 막기 위해서 지고 가는 걸세."

"아, 그거 참 잘 생각했어. 역시 자네에게는 배울 것이 많아."

"음 그럼 장에 다녀옴세."

하고 땀을 뻘뻘 흘리면서 대문을 지고 장으로 가드래요.

동화 13 – 삼돌이(우스운 이야기)

옛날 옛적, 어느 곳에 삼돌이라는 아이가 살고 있었어요. 하루는 할아버지께서 삼돌이를 불렀어요.

"삼돌아, 너, 장에 가서 물동이 하나 사오너라."

"왜요, 할아버지."

"엄마가 물을 쓸 때마다 물을 길으러 가니 얼마나 힘이 들겠느냐."

"네, 알았어요, 할아버지 다녀오겠습니다."

삼돌이는 장터 옹기전으로 뛰어 갔어요.

"안녕하세요. 옹기전아저씨, 물동이 하나 주세요."

"네, 네, 큰 것과 작은 것이 있는데 어느 것을 드릴까요. 큰 것은 600원, 작은 것은

300원입니다요."

"그럼 작은 것을 주세요."

삼돌이는 300원을 주고 작은 물동이를 사 가지고 집으로 돌아 왔어요, 그러자 할아버지께서 물동이를 보고

"이렇게 물동이가 작아서야 물을 얼마나 담겠느냐. 더 큰 것이라야 쓸모가 있지 않겠느냐."

삼돌이는 옹기전의 큰 물동이가 생각이 났어요.

"네, 할아버지 그럼 큰물동이와 바꿔 오겠습니다."

하고 작은 물동이를 들고 옹기전으로 뛰어 갔어요.

"아저씨 이 물동이가 작아서 더 큰 것하고 바꿔 주세요."

"네네 그렇게 하세요. 큰항아리는 600원입니다."

하고 작은 항아리를 큰항아리로 선뜻 바꿔 주었어요.

"자, 그럼 300원을 더 내세요."

그러자 삼돌이는 머리를 흔들며 말했어요.

"앞서 이 작은 항아리를 사면서 300원을 드렸지요?"

"그렇지요. 300원을 받았지요."

"그리고 이번에는 300원 짜리 물동이를 돌려 드렸으니까 모두 합하면 600원이 되지 않아요?"

"그렇지. 600원이지."

"그러니까 돈은 더 드리지 않아도 되지 않아요."

"응, 그렇지."

삼돌이는 휘파람을 불면서 큰항아리를 메고 가버렸어요.

옹기전 아저씨는 그래도 무엇인가 풀리지 않았어요.

"맞기는 맞지만 뭔가 이상해" 하면서 몇 번이고 손가락을 세면서 셈을 하면서 머리가 점점 옆으로, 옆으로 비틀어졌어요.

　이처럼 소담이란 우리의 어리석음을 깨우치고 미련함을 반성케 하여 지적인 기쁨과 사고의 전환 등 우리의 생활을 밝고 명랑하게 하는 즐거운 이야기이다. 여기서 웃음이란 어떤 때 생산되는가를 생각해 보고 차후 동화 창작이나 개작, 개편을 할 때 참고로 해보자.

　먼저 웃음이란 생리적인 흡족의 상태에서 생산되는 자연 현상이다. 누가 웃겨 주어서가 아니라 스스로 생리적 요구에 충족한 현상에 이를 때 연단에 올라 연설을 막 하려는 순간 크게 재치기를 하는 현상과 같이 심리적 기쁨과 만족이 웃음을 자아낸다.

　다음은 사태의 모순이 이해되어서 심리적 긴장이 급히 해소될 때 사람이 원숭이를 따라 나무에 오르다 떨어질 때 생산되는 현상이다. 즉 항상 어리석게만 생각했던 일이 예기치 않게 성공의 결과를 보고, 생산되는 어이없는 웃음, 가장 믿고 기대했던 일이나 사람의 가벼운 사고에 거침없는 웃음, 어떤 우월감의 표현에서, 이해하지 못하였던 것이 지적인 해석으로 이해되었을 때 어리석은 웃음, 있어서는 안 될 일이지만 남의 실패를 보았을 때 웃음이 절로 생산된다.

다. 우화(寓話, Fable)

　옛날부터 인간관계는 무수한 허구와 허상을 가지고 있어서 반복되는 일에도 또 다른 면모를 보여 왔다. 기원전 그리스의 이솝(Easop)은 움직일 수 없는 자연물이나 동물들을 의인화하여 인격을 부여하고 이야기의 주인공으로 등장시켜 인간 사회를 풍자

했다. 인간의 오만과 허구를 풍자하고 도덕과 윤리적인 교훈으로 교화하려는 뜻으로 만들어진 비교적 짧은 이야기, 우화를 남겼다.

우화는 이해하기 쉽고 재미있어서 특히 어린이들에게는 의인화한 동물과 자연물이 말하고 행동하는 간결한 내용이 재미가 있어 매우 흥미를 갖는 이야기이다.

동화 14 - 사자와 토끼(우화)

어느 날 토끼 한 마리가 양지 바른 바위 밑에서 쿨쿨 잠을 자고 있었어요. 마침 그곳을 지나던 배고픈 사자가 이것을 보고 침을 꼴깍 삼키며 토끼를 잡아먹으려고 살금살금 다가가는데, 그때 마침 먹음직스런 사슴이 그 앞을 지나가는 것이 눈에 띄었어요.

"옳지, 오늘은 재수가 좋군. 그래. 먹잇감이 제 발로 찾아오니 말이야. 그럼 저 맛있는 사슴 먼저 잡아먹어야지."

하고 사자는 토끼를 버려두고 사슴의 뒤를 쫓아갔어요. 놀란 사슴은

"이크, 사슴 살려줘! 사슴 살려줘!"

있는 힘을 다해 도망을 쳤어요. 사슴 발소리에 잠이 깬 놀란 토끼도 걸음아 나 살려라 하고 도망쳐 버리고 말았어요.

사슴을 놓쳐버린 사자는 토끼라도 잡아먹자고 토끼가 자고 있던 자리를 찾아 왔으나 토끼는 보이질 않았어요.

"이것 참, 힘 안들이고 잡아먹을 토끼를 버리고 욕심을 부리다가 꼼짝없이 굶게 생겼구나."

사자는 주린 배를 움켜쥐고 어디론가 가버렸어요.

"휭… 휭… 히유… 하하 하 하 어떠냐. 이 세상에서 나보다 더 힘센 장사가 있으면 나와 보라고 해, 휭… 히유히유…. 그래, 나와 힘을 겨룰 장사가 없단 말이지? 이 못 난 겁쟁이들, 힘 있는 자는 누구든 오너라. 퓨우…"

무슨 신바람이 났는지 하늘의 구름을 모두 불어 버리고 나서 사방을 돌아보며 소리소리 지르며 뽐내고 있었어요. 그러나 하늘의 왕 독수리도, 구름도 꼼짝 못하고 땅 위에 커다란 나무도, 동물의 왕 사자도, 저 바다의 고래도, 바람 앞에 꼼짝 못하고 모두 숨어 버렸어요.

"하하 하 하, 그러면 그렇지. 이 세상에 나보다 힘센 장사가 또 누가 있겠느냐. 하 하 하 하."

너무나 잘난 척하고 있는 바람을 보고 참다못해 해님이 빙그래 웃으며 얼굴을 내 보였어요.

"바람님이 왜 그렇게 화가 나셨소? 힘겨루기를 할 장사가 안 나타나서 매우 섭섭한 것 같은데."

"아니, 해님이 웬일이요?"

"너무 그렇게 큰소리만 치다가는 큰 코 다칠거요."

"아니 뭐라고요? 그럼 해님이 나하고 힘자랑을 해 볼 생각이요?"

하고 해님을 쏘아보며 금방 바람으로 불어버릴 것 같은 몸짓을 보여 주었어요. 그러 자 해님은

"뭐라고 나하고 힘자랑을? 하하하, 그래 좋아, 그럼 무엇으로 힘자랑을 해볼까."

그 때 마침 저 아래 큰길가에 어느 신사 한 분이 외투를 입고 지나가는 것이 보였어요.

"바람님, 좋은 수가 있어요."

"뭐야!"

바람은 제가 천하장사나 된 것처럼 해님을 업신여기며

"뭔데 그래요"

"저 신사가 입고 있는 외투를 벗기는 힘자랑을 해봅시다."

"그게 무슨 힘자랑이 되겠소만 해님이 원한 것이니 어디 해봅시다. 그럼 누가 먼저 하지? 가벼운 것이니 내가 먼저 하겠소."

"좋으실 대로 하세요. 자 그럼 먼저…."

말도 끝나기 전에 "퓨우…" 바람을 일으키며 신사의 옷을 벗기기 시작했어요. 길을 가던 신사는

"아니, 갑자기 센바람이 불지?"

하고 옷깃을 여미면서 머리를 숙였어요. 바람은 그것을 보고

"아니, 내 바람을 이겨 보려고! 어림도 없지 아주 너를 날려 보낼 테다. 자 받아라…."

하고 있는 힘을 다해서 가장 센 바람을 불었어요.

"퓨우 퓨우 퓨우…."

길가는 신사는 바람이 셀수록 외투를 꼭 붙잡고 놓지 않았어요.

바람은 지칠 대로 지쳐서

"어이쿠, 이젠 어찌할 수가 없군. 나 같은 장사도 옷을 못 벗기는데 너도 못 할 거야. 오늘은 무승부가 되겠지."

"무슨 말씀을. 이번에는 내 차례지. 자, 이 둥근 해가 얼마나 센지 보여드리겠소."

"어이쿠, 보나마나 일거요. 자, 섭섭하면 한번 해봐요."

바람은 잘난 척 거드름을 피웠어요. 해님은 방긋방긋 웃으며 신사를 향에서 햇볕을 쨍쨍 내리쬐었어요.

"어이쿠, 더워. 날씨가 이랬다저랬다 변덕스럽기도 하지. 방금 그렇게 센바람이 불더니 이번에는 더워서 못 견디겠는걸."

신사는 당장 단추를 풀어 외투를 벗어 들고는 더 걸을 수가 없었던지 그늘에 앉아 쉬었어요.

바람은 깜짝 놀랐어요. 이 천하장사가 해내지 못한 일을 해님은 간단히 해치우다니, 바람은 너무나 화가 났지만 어쩔 수 없이 해님 앞에 무릎을 꿇고 잘못을 빌었어요.

우화는 지금으로부터 약 2600여 년 전(기원전 630년쯤) 그리스에서 노예로 태어나 핍박을 받아온 이솝(Easop)에 의하여 만들어 진 짧은 이야기가 한 유형이다. 또 불교적인 교훈을 담고 있는 석가의 전생담(前生譚), 자타카(jataka·佛本生譚), 클라일러브(Krilov), 페스러스(Phaedros) 같은 우화가 잘 알려져 있다.

프랑스의 라퐁테느(La Fontaine1621~1695)가 「두 비둘기·떡갈나무와 갈대」 등 이솝의 전통적인 우화집을 냈고 독일의 레싱(Getthold Ephraim Lessing 1729~1781)이 레싱 비유담을, 러시아의 크루로프(Ivan Andreevitch Krylove 1763~1844)가 우화시화를 냈다.

우화는 우리 인간들의 욕심과 잘못을 깨닫게 하여 슬기와 재치를 더욱 알차게 할 수 있는 교훈을 강하게 담고 있으나 그 중에는 어린이들에게 내용이 맞지 않은 것들도 있다. 이런 경우 말하는 이야기 동화를 구연할 때는 미리 살펴서 어린이에게 알맞게 개작하는 여유도 가져야 한다. 뿐만 아니라 근대에는 이야기 말미에 교훈을 강요하는 것은 어린이의 자주적 사고를 저해한다는 비판의 소리가 높아 교육상 주의를 환기하고 있다.

라. 신화(神話 Myth)

우리는 동물과 달라서 생각할 줄 알고, 이 생각을 발전시키고 실현에 갈 수 있는 힘이 있다. 그러기에 인간에게는 항상 꿈이 있었다. 인간의 본질을 알고자 했던 꿈은 우주 만물을 신격화하여 무한한 힘을 내게 하였고 이 힘의 작용을 설화처럼 이야기했다 이것이 바로 신화이다. 신화는 지극히 비현실적이고 공상적이지만, 인간은 이것을 믿고 사랑해 왔다. 이 신화 속에는 인간의 진리가 그려져 있기 때문이다.

신화의 뿌리를 찾아보면 설화 이야기에 기인하고 있다. 세계 각지의 소수 민족의 사이에는 인간 이외에 까마귀, 말, 거미, 곰 등의 동물을 주인공으로 하는 천지 창조와 인류의 기원에 얽힌 수많은 이야기가 계승되어 왔다. 이 동물들은 때로는 우둔하게 유쾌한 실패를 거듭하는 트릭스타이지만 인간의 생활에 없어서는 안 될 불, 물, 음식이나 여러 가지 기술을 가져온 문화적 영웅으로서의 역할을 한다. 또 만물의 창조에 대해서 이야기하고 세상의 기초를 구축하는 신화는 나라의 성립과 민족의 신앙 체계와도 깊은 관계를 맺고 있다. 신화는 옛이야기나 전설 등과 구분되어 있으나 실은 깊은 관계에 있다.

동화 16 - 단군신화(신화)

옛날도 아주 먼 옛날 사람들은 산 높고 물 맑은 강가나 바닷가에 모여 살았어요. 물가에서는 조개도 줍고 물고기도 잡아먹고 숲에 들어가 나무 열매도 따먹고 사냥도 하였어요. 그리고 땅을 파고 기둥을 세워 풀잎을 엮어 집도 만들었어요.

이 무렵 하늘에도 사람들이 볼 수 없는 높은 곳에 하늘나라가 있었어요. 그곳에도 많은 사람들이 평화롭고 정답게 살고 있었어요. 아름다운 하늘나라는 환인이라는 하느님이 다스려 왔어요. 환인과 하늘나라 백성들은 땅위에 사는 사람들의 모습을 늘 지켜보고 있었어요.

환인에게는 환웅이라는 아들이 있었어요.

"땅 위의 세상은 참 아름답구나. 저기에 내가 가서 살 수 없을까?"

환웅은 땅에 내려가 사람들과 살고 싶었어요. 환웅은 환인에게 이 뜻을 말하자

"너의 소원이 꼭 그렇다면 이 천부인 3개를 줄 터이니 가지고 내려가 살도록 하여라."

마침내 환인은 환웅에게 땅에 내려가 살도록 허락해 주었어요.

환웅은 바람을 다스리는 신, 비를 다스리는 신, 구름을 다스리는 신과 3000명의 무리를 거느리고 아름다운 땅 태백산으로 내려 왔어요. 땅위의 사람들은 하늘에서 내려온 환웅을 반갑게 맞이하였어요.

환웅은 신단수 아래 신시를 만들었어요. 그리고 그곳에서는 농사와 병을 고치고 옳고 그른 일들을 가르치며 무려 360여 가지나 되는 일을 맡아 사람들을 다스렸어요.

사람들은 땅을 일구어 씨를 뿌렸어요. 날이 가물면 구름 신이 하늘에서 구름을 모으고 비신이 비를 내렸어요. 곡식들은 무럭무럭 자라났어요. 사람들이 씨앗을 뿌려 놓은 땅에서 곡식이 탐스럽게 익어 갔어요. 그러자 사람들은 여기저기서 더 많이 모여들어 농사를 지었어요 마을은 점점 더 커지고 늘어났어요.

사람들이 많아지자 무리를 짓고 다투는 일도 많아졌어요.

"어서 나가지 못해! 여기까지는 우리가 사는 땅이야!"

"아니야, 이 땅을 내놔 우리도 농사를 지어야 해"

사람들은 살기 좋은 땅을 차지하려고 자주 싸움이 일어났어요.

그때마다 환웅은 싸움을 말리고 널리 인간을 이롭게 하여 서로 돕고 살도록 가르쳐 주었어요.

어느 날 곰과 호랑이가 환웅을 찾아와 말했어요.

"환웅님, 우리도 지혜로운 사람이 되게 해 주세요"

"너희들이 그렇게 사람이 되고 싶으냐. 그렇다면 여기 쑥 한줌과 마늘 스무 개를 줄 테니 굴에 들어가 이것을 먹고 백일동안 햇빛을 보지 말도록 하여라. 그러면 너희가 원하는 대로 사람이 될 것이다."

곰과 호랑이는 쑥과 마늘을 가지고 어두운 동굴로 들어갔어요.

"퉤퉤, 아이고, 맵고 쓰고 못 참겠어."

호랑이는 어려움을 참지 못하고 동굴 밖으로 뛰어 나오고 말았어요.

"하느님 그러나 이 곰은 어떤 어려운 일이 있어도 참고 견디겠어요. 그러니 꼭 사람이 되게 해 주세요."

이렇게 어려움을 참고 견뎌낸 곰은 스무하루 만에 여자가 되었어요. 사람이 된 곰은 웅녀라 불렀어요. 웅녀는 점점 예쁜 아가씨가 되었어요. 그리고 아기를 갖고 싶었지만 아무도 웅녀와 혼인하려 하지 않았어요. 웅녀는 날마다 신단수 앞에 나아가 아기를 갖게 해 달라고 빌었어요. 환웅은 웅녀의 마음을 알고 몹시 딱하게 여겨 잠시 사람이 되어 웅녀를 아내로 맞이하였어요. 온 마을 사람들도 환웅과 웅녀의 혼인을 축복해 주었어요. 환웅과 웅녀 사이에 아기가 태어났어요.

"자, 아버님께 인사 드려야지."

환웅은 아들을 기쁘게 맞아 주었어요. 그리고 아이를 안아 보이며

"이 아이를 단군이라 부르자. 단군은 큰 사람이 될 것이요."

크게 자란 소년 단군은 어느 날 사람들이 일하는 일터를 지나가다가 어른들이 큰 바윗돌 하나를 들어 올리지 못해 쩔쩔 매고 있는 것을 보고 소년 단군은 얼른

"튼튼한 나무를 바윗돌 밑에 넣고 당겨 보세요. 쉽게 들릴 것이요."

그러자 사람들이 바윗돌 밑에 나무를 넣고 당겼어요.

"와, 이것 봐. 바위가 움직인다."

"만세…. 단군의 말대로 바위가 움직인다."

힘센 일꾼들이 소년 단군의 지혜에 깜짝 놀랐어요.

청년이 된 단군은 마을 청년들과 사냥을 나갔어요. 갑자기 늑대가 사람들 사이로 뛰어들었어요.

"늑대다!"

청년들은 소리치며 달아났어요. 그러나 단군은 사나운 늑대를 맞아 용감하게 싸워 이겼어요. 마을 사람들은 이 말을 전해 듣고 단군을 높이 받들었어요.

하늘의 환웅과 땅의 웅녀 사이에서 태어난 단군은 마을 사람들의 어려운 일에 앞장을 섰어요. 그리고 다투는 사람의 마음을 풀어 주고 아픈 사람을 낫게 해 주었어요.

단군은 사람들의 존경을 받으며 여러 마을을 다스리는 슬기로운 임금님이 되었어요. 단군 왕검은 나라 이름을 조선이라 하였어요. 단군 왕검과 사람들은 힘을 합쳐 마을 한가운데에 커다란 성을 쌓았어요.

"오, 훌륭한 성이요. 성 둘레에는 외적이 못 들어오도록 도랑을 넓고 깊게 파도록 하시오. 벽은 넓고 튼튼하게 쌓아 눈과 비에도 상하지 않고 오랫동안 견디도록 하시오.

단군 왕검은 1500년 동안 조선을 평화롭고 살기 좋은 나라로 다스렸어요. 조선은 우리나라 최초의 나라가 되었어요.

단군신화는 우리 겨레의 시조인 단군과 우리나라 최초의 국가인 고조선 건국에 관한 신화이다. 어떤 나라든지 건국 신화는 있게 마련이다. 건국신화는 보통 신적인 존재가 하늘에서 내려와 하늘의 뜻을 펼 나라를 지상에 건설한다는 내용을 담고 있다.

수많은 건국 신화 중에서도 단군신화는 우리 민족이 어려움을 겪을 때마다 민족의 정체성을 일깨우고 민족을 단합시키는 구심체 역할을 해왔다. 그러나 우리 어린이들에게 단군신화는 한낱 옛날이야기로만 알려진 것은 아닌가 생각된다. 단군신화의 의미와 역사성을 되살리고, 단군신화를 우리 겨레의 이야기, 우리 조상들의 삶 속에 이야기로 천지일체(天地一體) 홍익인간(弘益人間), 곰 호랑이 토템 등 단군신화가 지닌 상징적 의미를 담아 우리 어린이들이 우리 겨레의 뿌리를 배우고 조상들의 삶을 이해하며, 우리역사에 대한 흥미를 갖도록 노력해야 할 것이다.

마. 옛날이야기(설화說話, Fairy Tale)

신화나 전설과는 달리 설화문학 시대의 이야기로 동화에서 가장 넓은 영역을 차지하고 있다. 이야기의 무대가 되는 장소나 시대가 특별히 정해져 있지는 않지만 이야기 형식만은 엄연히 정리되어 있는 것이 특징이라 할 수 있다.

이야기의 첫 머리는 반드시 "옛날 옛적에…" 하고 시작되는 이야기 발단의 한 마디의 문장이 옛이야기(說話)라는 이름을 얻게 되었다. 옛날이야기는 동화 중에서 가장 넓은 영역을 차지하고 있으며 풍부하고 흥취 넓은 교훈을 담고 있다. 민족마다 삶의 형식이나 습관 토속 신앙 등은 달리 하고 있으며 국경을 넘어서 비슷한 이야기를 찾아볼 수 있다.

다음은 인류가 발생하여 오늘에 이르기까지 수많은 신화를 남겼는데 그 중에서도 홍수 설화는 인류의 선조들이 그 시대에서 겪었던 홍수에 대한 경험을 반영하고 있다. 즉, 물은 인간 생명의 원초성 그 자체이다. 생명의 모체인 어머니 뱃속도 물로 가득 찬 세계이다.

이러한 원초적 경험이 큰물을 통하여 새로운 생명이 생겨난다는 이야기를 만들었을 가능성도 있다. 성경의 노아의 방주나 우리나라의 홍수 설화, 고리봉 전설, 목 도령과 홍수, 남매혼 전설도 그러한 이야기 중의 하나이다. 큰물이 나서 모든 것이 물에 잠기고 새롭게 세상이 열린다는 이야기이다. 다음은 우리나라 홍수설화 남매혼 전설이다.

동화 17 – 하늘이 열리고 땅이 열리다(홍수 설화)

옛날도 아주 먼 옛날, 산 높고 물 맑은 강가에 사람들이 모여 살고 있었어요. 산에서는 맛있는 열매를 따먹고 노루, 사슴 사냥도 하고 강에서는 물고기를 잡아먹기도 했어요.

어느 날 하늘에 시커먼 먹구름이 몰려오더니 우지끈 뚝딱 번쩍 천둥 번개가 쳤어요. 꽃과 나무는 신이 났어요. 하늘에서 먹을 물을 주시니 너무나 기뻤어요. 하지만 비는 한없이 그치지 않고 계속 내렸어요. 번쩍 두굴, 두굴두굴, 좍 좍좍 장대 같은 비가 쏟아졌어요. 빗물은 점점 들과 산을 덮고 높은 산을 꼴깍 삼켜버렸어요. 그리고 온 세상이 물바다가 되어 온갖 것이 떠내려 왔어요.

"오빠, 여기 황소 고삐를 잡으세요."

동생은 황소 고삐를 오빠에게 밀어주다가 그만 고삐를 놓치고 말았어요.

" 어, 오빠…."

"그 옆에 소나무를 잡아."

눈 깜박할 사이에 떠밀려온 사나운 물줄기는 두 사람을 갈라놓고 말았어요. 그리고 몇 날 며칠이 지나자 물이 조금씩 빠지면서 여기저기서 높은 산들의 봉우리가 다시 나타나기 시작했어요.

"이젠 살았다!"

살아남은 짐승들이 가까이 모여 들었어요. 그리고 끼리끼리 짝을 지었어요. 그러나 짝이 없는 오빠는 혼자 남아 쓸쓸했어요. 황소는 불을 피워 연기를 피워보면 살아

있는 사람이 있으면 그 사람도 연기를 피울 것이라고 했어요. 오빠는 소가 시키는 대로 불을 피워 연기를 올렸어요. 그러자 건너편에서도 연기가 올라왔어요.

"거기 누구야?"

그러자 황소가 기쁘게 소리쳤어요.

"야, 연기가 하늘에서 서로 만났어. 함께 살라는 거야, 음머어…."

"하지만 누군지 어떻게 알아? 난 싫어."

오빠가 말하자 황소는 다시 말했어요.

"이것은 하나님의 뜻이야. 믿지 못하면 서로 맷돌을 굴려 봐. 산 아래서 맷돌이 서로 만나 하나가 되면 함께 살라는 하늘의 뜻이야. 어서 저쪽에도 알리고 맷돌을 굴려 봐."

황소 말대로 맷돌을 서로 산 위에서 아래로 맷돌을 굴렸어요. 맷돌은 두굴두굴 굴러 산 아래에서 쿵하고 부딪치어 두 짝이 하나가 되어 멈췄어요.

"만세…."

이것을 본 짐승들이 소리쳤어요.

"나는 아빠, 넌 엄마."

"만세, 축하합니다!"

꽃들도 아름답게 피어올랐어요.

푸른 하늘에는 밝은 해가 따뜻한 햇살을 보내주었어요. 해가 지고 달이 뜨고 또 해가 뜨고 달이 지는 사이에 산짐승, 들짐승, 날짐승, 곤충들의 식구가 늘어났어요. 오빠네 식구도 늘어났어요. 이제는 사람들도 외롭지 않게 되었어요. 이때부터 화목하고 평화로운 세상이 다시 태어났어요.

바. 전설 (傳說, Legends)

옛날이야기와는 달리 일정한 형식이 없이 자유롭게 전개되는 이야기가 전설이다. 이것은 우리 조상들의 사상과 감정이 스며들어 있으며 입에서 입으로 전해 내려오면서 서투르거나 어색한 데가 없이 능숙하고 미끈하게 가다듬어져 어느 나라나 그 지방에 따라 사적 사실과는 다를지라도 어떤 전설이 생겨난 사실을 소중하게 믿고 있다. 우리나라는 전설의 나라라고 할 만큼 극히 소박한 수많은 전설을 가지고 있다. 그 중에도 망부석, 백일홍의 전설, 임금님 귀는 당나귀 귀, 연오랑(延烏郞)과 세오녀(細烏女), 말하는 남생이 등 믿어지지 않은 수많은 전설이 전해져 온다.

옛날이야기에는 시대, 장소, 인물이 애매하지만 전설에는 구체적인 장소, 시대, 인물이 있으며 옛날이야기는 오락적인데 비해 전설은 그 일을 믿게 하려는데 특징이 있다.

지역에 따라서는 전쟁 때 지금은 상상도 못할 엄청나게 큰 바위를 짚으로 가려 군량이 많은 것처럼 노적가리를 만들어 적을 속임으로써 결국 승리로 이끌었다는 바위산 노적봉과 같은 전설이 전해지고 있다.

전설은 그 지방이나 마을이 생긴 동기와 얽힌 사람들의 경험의 축적이기 때문에 옛날이야기와는 달리 특정한 이야기 형식은 갖지 않는다. 또 전설에는 즐거운 마을 축제가 생긴 유래담이나, 왜 산이 되고, 못이 생기고, 마르지 않은 약수가 생겼는지에 대한 내력 등 그 지방의 특별한 이야기도 있다. 할미꽃은 왜 허리가 굽었나, 토끼꼬리는 왜 짧은가와 같이 동식물의 특성을 설명하는 이야기도 있다.

옛날 옛적 어느 바닷가에 작은 마을에는 해마다 여름이 되면 바다에 사는 용에게 처녀를 제물로 바쳐야 했어요. 만약 처녀를 바치지 않으면, 바다는 큰 파도를 일으켜 마을을 덮치고거나 농사를 망쳐 놓고, 고기잡이 나간 사람들을 잡아갔어요. 마을사람들은 이 끔찍한 일을 보다 못해 해마다 날을 정하여 처녀 한 사람을 제물로 바치고 있었어요. 오늘도 마을에서는 예쁘고 마음씨 고운 처녀를 제단에 앉혀 놓고, 사람들은 눈물을 흘리며 용을 기다리고 있었어요.

그때였어요. 백마를 탄 한 젊은이가 나타나 사람들이 울고 있는 것을 보고 물었어요.

"무슨 일로 눈물을 흘리고 있소?"

"쉬! 조용히 하시오, 곧 바다에서 성난 용이 올라와 제단에 처녀를 잡아 갈 것이니 살고 싶으면 빨리 이 자리를 피하시오."

"무엇이! 용이 사람을 잡아간다고? 세상에 이럴 수가."

젊은이는 말고삐를 바싹 다그치고 큰칼을 하늘 높이 뽑아 들고 마을 사람에게 외쳤어요.

"마을 사람이 살기 위하여 약한 처녀를 제물로 바치다니 이게 될 말이오. 그리고 사람을 잡아먹는 용 따위는 용서할 수 없소. 그 못된 용은 내 손으로 없애 버릴 터이니 모두들 집으로 돌아가시오."

"아니오, 안 됩니다. 그러시다가 목숨을 잃을 것입니다. 그 동안 수많은 장사들의 목숨을 앗아간 흉악한 용입니다. 안 됩니다. 어서 돌아가시오."

마을 촌장이 온갖 말을 다하여 말렸으나 젊은이는 조금도 물러서지 않았어요.

그러자 먼 바다에 물결이 꿈틀거리더니, 용의 암컷이 머리를 내밀었어요. 마을 사람들은 걸음아 나 살려라 하고 도망쳐 버렸어요. 용감한 젊은이는 당장 제단에 올라 처녀를 가로막고 외쳤어요.

　"올 테면 오라. 이 못된 용아, 한 칼에 베어 버릴 것이다. 오라…"

　용은 바다에서 솟구쳐 쌍불을 켜고 혀를 널름거리며 쏜살같이 달려들었어요.

　"슛 슈슈슈 의아아야…"

하는 소리가 몇 차례 오고 가더니, 용의 목에서 붉은 피가 흐르고, 젊은이의 날쌘 몸이 이리 번쩍 저리 번쩍 뛰어다니며 힘찬 기압소리가 메아리쳤어요. 저녁때 시작한 싸움은 아침이 될 때까지 계속되었어요. 용 위에 올라탄 젊은이가 마지막 한 칼을 용 머리에 꽂자 용은 한참 꿈틀거리다가 그만 제단에서 바다까지 자로 그은 듯이 쭉 뻗어 버렸어요. 젊은이는 용의 머리에서 처녀에게로 내려왔어요.

　"많이 놀랐지요? 이젠 염려할 것 없어요. 힘을 내세요."

하고 위로하자 처녀는 감격하여 기쁨 눈물을 흘리며

　"이 천한 목숨을 살려주시니 이 은혜를 어떻게 갚아야 할지"

하고 쓰러졌어요. 젊은이가 당황하여 처녀를 끌어안아 정신을 차리게 하자 마을 사람들이 달려왔어요. 죽은 줄 알았던 젊은이와 처녀가 살아있고 그 옆에는 죽은 용이 늘어져 있었어요. 마을 사람들은 "이제야 살았다 젊은이 만세 우리 동네 만세"를 외치며 축하 잔치가 벌어졌어요. 그러나 그 잔치의 기분도 잠시,

　"용은 암컷 수컷 두 마리가 있어요 암컷이 죽은 줄 알면 틀림없이 수컷이 또 나타날 것이오. 그 수컷이 오기 전에…" 하고 걱정하는 촌장의 말을 듣고 금세 근심에 쌓인 마을 사람들을 보고 젊은이는 용감하게 말했어요.

　"염려 마십시오. 그 수컷을 마저 없애고 돌아올 것이니 그때까지 이 처녀를 잘 보살펴 주시오. 나는 이 처녀와 결혼하겠소."

　"아니, 그게 정말이오."

　처녀의 아버지가 감격하여 젊은이의 손을 잡았어요.

"사나이가 한 입으로 두 말하겠습니까. 이 길로 저 바다로 나가 그 용 수컷을 죽이고 돌아오겠으니 배를 한 척 내주시오."

그러자 마을 사람들은, 서둘러 배 한 척을 젊은이에게 내주었어요.

젊은이는 씩씩한 모습으로, 배를 타면서 처녀에게 "백일동안만 기다려 주시오. 기어코 못된 용을 죽이고 돌아 올 때는 흰 깃발을 휘날리고 돌아와, 당신과 결혼하겠소."

"몸 조심하세요."

젊은이는 처녀와 눈빛으로 인사를 나누고 서서히 바다로, 바다로 저어갔어요. 처녀도 멀리 멀리 배가 작아지도록 손을 흔들며 젊은이가 무사히 돌아오기를 빌었어요.

처녀는 날마다 바닷가에 나와 젊은이가 오기를 기다렸어요. 그러나 젊은이가 바다로 떠난 지 벌서 두 달이 지나고, 석 달이 되자, 처녀의 얼굴은 날이 갈수록 수척해졌어요.

"애야, 오늘 하루만이라도 집에서 쉬도록 하여라. 용을 물리치면 하얀 깃발을 휘날리며 반드시 돌아올 것이다. 이제 그만 집으로 들어가자구나."

"아니어요, 아버님, 사흘밖에 남지 않았어요. 마지막까지 지켜보게 해주세요."

처녀는 목숨을 살려준 젊은이를 지아비처럼 섬기고 있었어요. 그만큼 젊은이를 사랑하고 있었어요. 처녀는 날마다 먹을 것도 못 먹고, 무려 90일이 넘도록 먼 바다만 바라보고 있었으니, 몸이 약해질대로 약해져 있었어요. 드디어 100일이 되던 날 아침, 마을 사람들은 하나둘 바닷가로 모이기 시작하였어요. 한낮이 될 무렵, 멀리 배 한 척이 보이기 시작했어요.

"젊은이다! 살아서 돌아온다!"

희망찬 소리가 들려왔어요. 그러나 살아서 돌아오면 흰 깃발을 달고 오겠다던 깃발은 보이지 않았어요.

"용감무쌍한 젊은이야! 그런데 왜 하얀 깃발은 안 보이고 빨간 깃발이 보이지?"

"네? 빨간 깃발이라고요."

젊은이를 기다리던 처녀가 그만 세상을 떠나고 말았어요.

마을 사람들은 처녀를 바닷가 언덕에 묻어주었어요. 그러나 빨간 깃발을 단 배는 파도에 이리 밀리고 저리 밀리면서 며칠 만에 바닷가 가까이 밀려왔어요.

마을 사람들은 모두 쫓아가 봤어요. 배 안에 젊은이가 한 손에는 칼을 들고 또 한 손에는 용의 뿔을 들고 힘없이 눠 있었어요.

"여보시오. 젊은이. 살아 있으면 눈을 뜨시오. 빨간 깃발이 웬일이오. 용을 못 잡았소?"

이장이 이렇게 말하자 젊은이가 눈을 반짝 뜨고 일어나 "아니, 뭐라고요? 저 깃발은 용이 마지막 쓰러질 때 흘린 피로 붉게 물들었소. 이제는 안심하시오. 이 용의 뿔은 처녀에게 바치겠소."

젊은이는 배에서 내려 용의 뿔을 들고, 처녀를 찾았어요. 그러나 마을 사람들은 근심스러운 얼굴로 고개를 숙였어요.

"무슨 일이 있었오? 왜들 말이 없소?"

그러자 처녀의 아버지가 주저앉으며 울먹이는 소리로

"나를 꾸짖어주시오. 딸아이가 이 자리에서 젊은이를 기다리다 그만 저 빨간 깃발을 보고 죽고 말았소."

젊은이는 먼 하늘을 쳐다보며 눈물을 흘렸어요.

"그래요. 용과 싸워 이기면 하얀 깃발을 달고 오겠다고 약속을 했지요" 하고 울었어요.

젊은이는 처녀 아버지를 따라 무덤으로 갔어요. 그런데 이상한 일이 생겼어요. 사흘도 채 되지 않은 무덤에 나무 두 그루가 자라나 있었어요. 젊은이는 나무를 어루만지며

"이 묘목을 캐다가 궁중 뜰에 심어 놓겠소."

"아니, 그럼 왕자님이셨나요."

"그렇소. 이 마을에 용이 나타나 백성들이 괴롭게 한다는 소문을 듣고 아바마마께서 나에게 영을 내리신 거라오."

"감사합니다. 왕자님."

마을 사람들은 깊은 감사를 드렸어요. 젊은이는 두 나무를 캐어 들고 궁중으로 돌아왔어요. 궁중 뜰에 나무를 심어놓고 처녀를 생각하며 정성껏 가꿨어요. 나무는 자라 예쁜 꽃을 피웠어요. 꽃은 해마다 왕자님의 사랑을 받다가 꼭 백일이 되면 꽃이 시들었어요. 그 꽃을 처녀의 넋이라고 생각했어요. 사람들은 이때부터 그 꽃을 백일홍이라고 부르기 시작했다고 해요.

이처럼 전설은 유래담과 같은 어떤 내력을 설명해준다. 교외의 낡은 성터에서 망령들의 소리가 들린다거나 망부석과 같은 바위 등의 내력을 설명하는 이야기이다. 이러한 유래담은 다시 인간 생활이나 우주 창조의 근원을 거슬러 올라가는 일도 있어 신화와도 겹치는 영역이 있다.

사. 민화(民話)

민화는 민중들 사이에 공통적인 소망을 전승시킨 민간 설화의 줄임말이다. 대개 내용은 밝고 낙천적이며 문헌에 의하여 전승된 우화와 같은 영역으로부터 민간에 떠돌아다니는 이야기, 체험담과 같이 지금 막 태어나는 이야기에 이르기까지 아주 폭넓은 영역을 포괄하는 이야기로 민중의 생활과 밀접한 관계가 있고 향토성 민족성이 강하게 반영된 것이 특색이라 할 수 있다.

『삼국유사』에 나오는 신라 때 일이었어요. 경문왕은 왕위에 오르면서 귀가 점점 길어지기 시작하였어요. 귀가 간지러워 만지면 한마디 자라고, 잠을 자고 나면 한마디 자라고 날마다 귀가 자라나서 마침내 당나귀 귀처럼 커다랗게 자라고 말았어요. 이 부끄러운 일을 아무에게도 알리지 못하고 혼자서 고민에 싸였어요.

하루 내내 왕관을 쓰고 지내므로 신하들조차 까맣게 몰랐으나, 단 한 사람 왕의 옷을 거들어 주는 시종만은 이 비밀을 알고 있었어요.

"너는 짐의 귀 이야기를 누구에게도 해서는 안 된다. 만약 다른 사람에게 입을 연 사실을 알게 되면 살아남지 못할 것이야."

이렇게 무서운 임금님의 말씀을 듣고 시종은 혼자서 이 무서운 비밀을 가슴에 안고 몹시 답답하기 짝이 없었어요. 시종은 생각했어요.

"세상에 이렇게 재미있는 일을 누구에게 털어놓고 말도 못 하다니…."

시종은 날이 갈수록, 하고 싶은 말을 못하여 괴롭기 한이 없었어요.

누구에게 속 시원하게 털어놓아야 이 가슴앓이가 나을 텐데 목이 달아날 일이 걱정되어 말도 못 하고, 마침내 시종은 마음의 병이 생기고 말았어요.

그러자 어느 날 목이 말라 샘가에서 물을 떠서 막 먹으려는 데 웬 나그네가 '목이 마르니 물 한 바가지 얻어먹읍시다' 하고 대뜸 손을 내밀었어요. 시종은 그 말을 듣고 물을 나그네에게 먼저 주면서 "네, 이 더운 날씨에 얼마나 목이 마르시는지요. 어서 먼저 이 물을 천천히 드세요."

"감사합니다. 물도 빨리 마시면 체할 때가 있으니까요."

시원하게 물을 마시고는 나그네가 시종에게 물었어요.

"얼굴이 몹시 안되어 보이는데 무슨 병이라도 앓고 있소?"

"아, 아니에요. 말 못 하는 것이 병이라면 병이라고 할 수 있겠지만…."

그러자 나그네가 껄껄껄 웃으면서 귀엣말로

"그렇고 말고요. 어디 사람 없는 곳에 가서 속 시원하게 말을 해버리면 나을 거요."

하고는 또 껄껄 웃으며 가버렸어요.

시종은 나그네가 신나게 가는 것을 한참 보고 있다가 생각이 나서 바로 도림사 뒤에 있는 대숲을 찾아갔어요. 이곳은 사람이 없고 대숲이 우거진 한갓진 곳이어서 아무리 큰소리로 외쳐도 듣는 사람은 아무도 없는 곳이었어요. 시종은 힘껏 외쳤어요.

"우리 임금님 귀는 당나귀 귀라네!"

"우리 임금님 귀는 당나귀 귀라네!"

몇 번이고 시원하게 소리쳤어요. 그리고 집으로 돌아왔어요. 그런데 며칠 후 이상한 소문이 들려왔어요. 바람이 불 때마다 그 대숲에서 "우리 임금님 귀는 당나귀 귀라네!" 하는 소리가 들려와 겁이 난 마을 사람들은 대나무를 다 베어 버렸지만, 또 새싹이 자라나 바람이 불 때마다 "우리 임금님 귀는 당나귀 귀라네!" 한다는 소문이 돌고 돌아 마침내 왕까지 알게 되었어요.

"세상에 비밀이란 있을 수가 없구나. 처음부터 숨기려고 한 것이 잘못이었다."

왕은 잘못을 크게 깨우치고 그 후로는 귀를 가리려고 하지 않았다는 얘기예요.

여기 등장하는 경문왕은 신라 제48대 왕으로 서기 861~875년까지 재위했다. 화랑으로서 왕위에 오른 경문왕의 일화와 마찬가지로 그리스의 신화에도 비슷한 이야기가 있다. 얼마나 유사한가를 참고해 보자.

미더스 왕은 어느 날, 목동의 신인 파안과 해의 신인 아폴론이 음악 경연을 하는 것을 보게 되었어요. 그날의 경연은 아폴론의 승리로 돌아갔어요. 그러나 미더스 왕은 고개를 갸우뚱하며 못마땅한 표정을 지었어요. 그 모습을 보고 해의 신 아폴론은 말했어요.

"네 귀는 대체 어떻게 생긴 거냐? 당나귀 귀가 아니고서야 그렇게 음악을 모를 리가 없지. 너의 귀를 좀 만져 보도록 하게."

그 말을 듣고 미더스 왕은 자기 귀를 만져 보자 깜짝 놀랐어요. 어느 사이에 양쪽 귀가 자라났고, 귀에 털까지 송송 돋아나 있었어요. 미더스 왕은 창피해 견딜 수가 없어서 귀를 덮으려고 커다란 모자를 쓰고 다녔어요. 사람들은 혹 임금님 머리가 대머리 아닌가 하고 수군거렸지만, 아무도 모자를 벗은 임금님 머리를 본 사람은 없었어요.

이렇게 세상 사람들의 관심거리가 되어 있었지만 미더스 왕도 머리도 감고 이발도 해야 했어요. 그래서 한 달에 한 번씩 아무도 모르게 이발사를 대궐로 불러들여 머리를 깎았어요. 그런데 이상하게도 대궐에 들어간 이발사는 들어가기만 했지 한 사람도 나오지를 않았어요. 그래서 성안에 이발사라고는 병든 늙은 이발사와 젊은 애송이 이발사밖에는 남아 있지 않았어요. 젊은 이발사들은 언제 불려갈지 몰라서 모두 마음을 졸이고 있었는데, 어떤 젊은 이발사 차례가 되었어요.

"아, 나도 대궐에 들어가면 다시는 나올 수 없겠구나."

이발사는 가슴을 죄며, 대궐 안으로 들어갔어요.

임금님은 가슴에 하얀 수건을 두르고 커다란 거울 앞에 앉아 있었어요. 젊은 이발사는 임금님의 모자를 벗겼어요. 그러자 커다란 귀가 쫑긋 나타났어요. 이발사는 깜짝 놀랐어요. 그 귀는 마치 당나귀 귀처럼 커다랗고 우스워서 견딜 수가 없었어요.

하지만 웃었다가는 죽을지도 몰라 꾹 참고 일부러 무서운 얼굴을 하고 이발을 끝냈어요.

"아, 시원하고 기분이 좋구나. 이발사, 내 귀가 크다고 생각하나?"

"아닙니다. 다른 사람의 귀와 다를 게 없습니다."

"아, 그래? 자네가 맘에 든다. 이제부터는 언제나 자네에게 이발을 맡기겠다. 그런데 내 귀 이야기를 입 밖에 내면 가만두지 않겠다."

"예, 알았습니다. 꼭 지키도록 하겠습니다."

젊은 이발사가 집으로 돌아오자 마을 사람들이 모여들었어요.

"여보게, 임금님은 대머리였지?"

"아냐, 임금님이 늘 모자를 쓰고 계신 것은 무엇보다도 모자를 좋아하시기 때문이야."

사람들은 임금님의 머리에 대해서 자꾸만 묻는 것이었어요. 이발사는 혼자만 그 비밀을 알고 있으려니까 아는 대로 말하고 싶어서 견딜 수가 없었어요.

하지만 그 비밀이 새는 날에는 죽게 된다는 것을 생각하면 가슴이 답답해지고 개구리 배처럼 자꾸만 부풀어 오는 것이었어요.

그래서 할 수 없이 의사를 찾아갔어요.

"음, 이것 참 이상한 병이요. 말하고 있는 것을 참고 있으면 생기는 병인데 점점 배가 불어와서 마침내 죽게 될 것이요. 살고 싶으면 나에게 살짝 얘기해 보시오."

"안 돼요. 그건 말할 수 없어요."

이발사는 큰 죄를 지은 듯이 괴로워했어요.

"그렇다면 아무도 없는 곳에 가서 땅을 파고 거기다 대고 얘기해 보시오."

이발사는 그 말을 듣고 얼른 밭으로 뛰어갔어요. 그러고는 땅에 구멍을 파고는 외쳤어요.

"임금님 귀는 당나귀 귀! 임금님 귀는 당나귀 귀!"

그러자 이상하게도 배가 푹 꺼지고 병이 나았어요.

가을바람이 불자 구멍에는 날아다니던 씨앗도 떨어지고 낙엽도 떨어졌어요. 봄이 되자 씨에서 싹이 나더니 여름이 되어 커다란 나무가 되었어요.

어느 날 피리 부는 양치기가 그 나무를 꺾어서 피리를 만들었어요. 그리고 한 곡조 잘 불어 보려고 입에 대고 훅 불자 "임금님 귀는 당나귀 귀!"라는 소리가 났어요.

"어! 이상하다 이게 무슨 소리지!"

몇 번 불어봐도 똑같이 "임금님 귀는 당나귀 귀!" 하는 것이었어요.

"하하하…. 이것 참 재미있다 피리가 말을 하다니 이 말을 세상 사람이 들으면 깜짝 놀랄 거야. 멋진 피리야."

양치기는 피리를 불면서 마을을 자랑스럽게 돌아다녔어요.

"어! 저게 무슨 소리야 임금님 귀가 당나귀라고! 하하하 그래서 그 커다란 모자를 쓰고 있었구나."

마을 사람들은 허리가 부러지게 웃어댔어요.

이 소문은 금방 임금님 귀에 들어갔어요. 임금은 당장 양치기하고 이발사를 불러 들였어요.

"이놈, 이발사야! 네놈이 약속을 어기고 입을 열었지?"

"아니옵니다. 아무에게도 말하지 않았습니다. 너무 답답해 병이 생겨서 밭에다 구멍을 파고 거기다 얘기했을 뿐입니다."

이발사는 새파랗게 질려 그동안 있었던 일을 정직하게 말을 했어요.

"그럼 너는?"

"네, 저는 그 밭에 있던 나뭇가지로 피리를 만들어 불었을 뿐입니다. 제가 아니라 피리가 말을 했습니다."

양치기는 울상이 되어서 말했어요. 임금님은 이상하게 생각하고 그 피리를 직접 불어 보았어요.

"임금님 귀는 당나귀 귀!"

피리는 다른 때보다 더 힘을 내어 소리쳤어요. 임금님은 깜짝 놀랐어요. 그리고 피리를 내려놓고 빙그레 웃었어요.

"아하, 이제야 마음이 개운하구나. 나는 귀의 비밀을 지키느라고 마음 고생을 했다. 이제는 다 알게 됐으니 무슨 걱정이 있겠느냐, 귀는 길수록 잘 들린단 말이야. 이게 다 너희들 덕분이로구나 하하하…."

하고 너털웃음을 웃자 이발사와 양치기도 함께 크게 웃으며 모두 행복하고 재미있게 잘살았다고 해요.

민화는 전설, 또는 옛날이야기와 혼동하기 쉬우나 각각 그 특징이 있다. 민화는 전설보다 과거의 시간성이 가상적이고, 내용에서도 가상이 두드러진다. 또 민화는 옛날이야기보다는 서민들의 세계를 의식하고 의도적으로 만들어졌다. 따라서 옛날이야기의 작가는 거의 알 수 없어도 민화는 작가가 어느 정도 알려져 있다.

아. 역사 이야기(歷史譚)

역사의 중대사나 역사를 꾸며온 야사 또 그 역사를 움직여온 주역들의 역사적 사실에 근거를 두고 설화적이며 흥미있게 엮은 것을 역사 이야기라고 한다. 한 나라의 흥망성쇠와 선조들의 발자취를 더듬어 지혜와 슬기를 오늘에 되살리는 이야기이다. 역사 이야기는 전설보다 더 구체적이며 사실적이다. 이 역사 이야기는 역사에 빛을 남긴 선조들의 발자취를 살펴 현대를 살아가는 어린이들의 윤리관 확립에 도움이 된다.

서기 612년, 고구려 영양왕 23년에 수나라 100만 대군과 을지문덕 장군이 이끄는 고구려 군사가 살수에서 수나라 군사를 물리친 역사 이야기.

수나라 왕은 고구려를 이기는 것이 소원이었어요. 그러나 수나라 임금은 그 소원을 풀지 못하고 죽게 되었어요. 그러자 그 아들이 아버지의 소원을 풀어 주기 위하여 100만 대군을 이끌고 고구려를 쳐들어왔어요.

이 소식이 고구려에 전해지자, 임금님은 즉각 신하들을 불러 수나라의 침략을 막아낼 걱정을 하였어요.

"지금 북쪽에는 수나라의 100만 군사가 우리 고구려를 쳐들어온다고 하오. 이 일을 어찌하면 좋겠소?"

"100만 대군과 싸울 수는 없을 것이오니 수나라에 사신을 보내어 서로 평화롭게 푸는 것이 옳을 줄 아옵니다."

한 신하가 이렇게 말하자 신하들은 "그 말이 옳은 줄 아옵니다."하면서 모두 싸우면 진다는 의견이었어요. 임금님도 신하들도 실망하여 한숨만 쉬고 있을 때였어요. 한 장수가 임금님 앞에 엎드리며

"아니 되옵니다. 싸워야 합니다. 아무리 대군이라 할지라도 꾀를 써서 싸우면 이길 수 있습니다. 목숨을 다해 싸워야 합니다."

그 힘찬 목소리는 을지문덕 장군이었어요. 임금님도 장군의 말에 용기를 얻었어요. 그리고 신하들에게 말했어요.

"장군의 말이 옳소. 아무리 대군이라 할지라도 부딪혀 싸워 봐야 할 것이오. 슬기로운 장군을 총대장으로 삼아 수나라 100만 대군에 맞서 싸우시오."

임금님의 말씀대로 을지문덕 장군을 총대장으로 삼아 수나라 군사와 고구려 군사는 압록강을 사이에 두고 마주 보고 있었어요.

"싸움에 이기려면 적을 먼저 알아야 한다. 내가 적의 형편을 살피고 오겠으니 수나라 장수에게 항복하겠다는 사신을 보내라. 내가 곧 그 뒤를 따르겠다."

장군은 혼자서 압록강을 건너 수나라 진지로 들어갔을 때 수나라 장수들은 을지문덕 장군이 항복하러 오는 것으로 믿었어요. 장군은 수나라 군사를 두루 살펴보고 진지에 들어가 수나라 장군을 만났어요.

"수나라는 아주 큰 나라입니다. 군사도 훌륭합니다. 이렇게 훌륭한 군사와 어떻게 싸우겠습니까. 우리 임금님께 말씀드려 서로 친하게 지내도록 하겠습니다."

수나라 장수들은 을지문덕 장군의 말을 믿고, 이제 싸움을 안 하고도 이길 수 있겠구나, 하고 안심을 하도록 해놓고 장군은 그 길로 말을 타고 압록강을 건너 돌아왔어요.

을지문덕 장군이 돌아가자 수나라 장수들은 서로 다투기 시작했어요.

"을지문덕을 사로잡았어야 했소."

"임금의 허락을 받으러 가겠다는 사람을 어찌 잡을 수 있겠소."

또 다른 장수가 이번에는 속상한 듯이 큰소리로

"우리가 속았소. 우리 왕이 을지문덕을 사로잡으라 하지 않았소?"

이렇게 다투었으나 이미 장군은 압록강을 건너간 뒤라 때는 늦고 말았어요. 수나라 장수들은 을지문덕 장군을 기다려 보기로 했어요. 그러나 장군은 아무리 기다려도 오지 않았어요.

"강을 건너가 쳐부수어 버립시다."

수나라 장수들은 화가 나서 소리쳤어요. 그러자 한 장군이 군졸들에게 외쳤어요.

"들거라. 아무리 배가 고파도 저 압록강을 건너가 고구려 군을 쳐부신 뒤에 저녁을 먹자 진군!"

명이 떨어지자 여기저기서 변변히 아침저녁도 못 먹은 수나라 군사들이 강을 건너 오기 시작했어요.

을지문덕 장군은 바로 이때를 기다리고 있었어요.

"배고픈 군사는 천천히 싸워 기운을 더 빼버려야 이긴다."

수나라 군사들이 멀리서 걸어와 지칠 대로 지친데다가 식량이 모자라 밥을 못 먹고 있는 것을 보고 난 뒤에 세운 작전이었어요. 싸움은 시작되었어요. 배고픈 수나라 군사는 흐르는 강물을 이기지 못해 물에 빠져 죽는 군사가 많이 생겼어요. 그리고 강을 건너온 군사도 힘이 빠져있었어요. 을지문덕 장군은 군사를 모아서 수나라 군사를 공격하고 식량을 한 톨도 남기지 않은 채 슬슬 뒤로 물러섰어요. 수나라 군사는 뒤를 쫓아왔어요. 그러나 배가 고프고 지칠 대로 지쳐서 조금 쉬려고 하면 고구려 군사들은 또 싸움을 걸어 왔어요.

수나라 군사는 여기저기서 쓰러지는 군사가 많았어요, 을지문덕 장군의 꾐에 빠진 것을 알고 발을 굴렀어요. 수나라 장수들은 다시 군사를 달래어 싸우려고 했으나 군사들이 움직이지 않았어요.

이때 장군은 또 한 번 수나라 장군을 놀리는 시를 써서 보냈어요. 수나라 장군들은 화가 치밀어 다시 군사를 앞세워 싸우려 하나 이미 군사들이 지쳐서 싸울 생각을 하지 않았어요, 수나라 장수들은

"여기 앉아서 죽기보다는 차라리 도망치기로 하자."

하고 군사를 뒤로 돌렸어요. 이번에는 고구려 군사들이 뒤쫓아갔어요. 살수에 닿았어요. 강을 건너는 일이 큰일이었어요. 고구려 군사는 자꾸만 뒤따라 왔어요. 우물쭈물할 틈이 없었어요. 깊은 강을 맨몸으로 건너기 시작했어요.

그때 강가의 산에서 고구려 군사가 쏟아져 나왔어요.

"와!…"

화살이 비 오듯이 날아갔어요. 도망치는 수나라 군사보고 창과 칼이 번득였어요. 도망치기에 바쁜 수나라 군사는 싸워 보지도 못하고 쓰러졌어요.

"모조리 살수에서 장사를 지내라. 모두 무찔러라."

을지문덕 장군은 말을 타고 하늘을 나는 듯이 달려와 호령하였어요. 승전고가 울려 퍼졌어요. 수나라 군사는 100만 대군이 겨우 2천7백 명이 살아 돌아갔을 뿐이었어요. 장군은 말했어요

"우리 군은 용감하게 잘 싸웠다. 이 승리는 너희들의 것이다."

장군은 군사들을 칭찬하였어요. 백성들이 성문 밖으로 쏟아져 나왔어요.

"만세! 을지문덕 장군 만세!"

백성들은 싸움터에서 돌아오는 장군을 환영했어요. 임금님도 성문 밖까지 나와 장군의 손을 잡으며 눈물을 글썽이며

"장군은 이 나라를 구했소. 이 승리는 자손만대에 빛날 것이오."

하고 장군을 환영하였어요.

그리고 이 살수 싸움에 지고 돌아간 수나라는 곧 망해 버리고 말았어요.

이 이야기는 역사적 사실이며 선조들의 슬기와 넘치는 나라 사랑의 큰 뜻이 새겨진 우리 민족의 이야기이다. 물론 문학적 내용이 많이 가미된 책으로 많이 읽어야 하겠지만 어릴 때부터 이야기 동화로 더 많이 들려줄 것을 권유한다. 화랑 관창, 원술랑. 한글을 창제하시고 온갖 과학기구를 만들어 백성들이 살기 좋은 나라를 만들어 주신 위대한 세종대왕, 거북선을 만들어 왜적을 물리치신 민족의 별 이순신 장군, 이밖에도 율곡, 퇴계, 신사임당, 안창호, 유관순, 방정환, 우장춘 등 수많은 분들이 있다. 각 분야에서 빛을 남긴 선조들의 이야기를 자주 들려줌으로써 뿌리 깊은 우리 민족의 긍지와 얼을 계승시켜야 한다.

그리고 20세기를 빛낸 인물인 에디슨, 라이트 형제, 링컨, 안데르센, 베토벤, 뢴트겐, 셰익스피어, 페스탈로치, 쿠베르탱, 퀴리 부인, 슈바이처, 아인슈타인과 같이 세계적 인물들의 이야기는 역사적 사실에 근거를 두되, 설화적, 동화적 내용이 가미된 즐겁고 재미있는 이야기로 들려줄 때 우리 어린이의 꿈은 활짝 피어날 것이다.

자. 과학 이야기(科學童話)

20세기가 역사의 시대였다고 하면 21세기는 정보통신의 세기이다. 그만큼 과학이 우리의 생활과 밀접해졌다는 것을 의미한다. 이미 인간의 생활은 과학세계 속에 살고 있었으면서 그 생활 자체가 너무나 자연스러운 것이었기에 구태여 의식하려 않았을지도 모른다. 과학은 인간의 삶을 편리하게 발전시켰으며 미지의 세계를 탐구 개발하여 삶의 환경을 하나하나 밝혀내어 20세기에는 우주를 우리 생활공간 속에 끌어들였다. 유전공학의 발달은 공상소설 속에서나 상상하였던 복제품을 만들어 내는 데 성공하여 21세기의 과학적 발전은 상상도 못할 만큼 발전하고 있다.

이것은 우연한 것이 아니다. 인간은 '생각하는 동물'이었기에 인류가 수천 년 동안 지구상에 살아오면서 수많은 의문과 경험은 대대로 연속적인 사고를 거쳐 그 의문을 풀어왔다. 인류가 새처럼 하늘을 날고 싶은 욕망은 비행기를 만들었고 마침내 보다 빠른 로켓을 발명하여 우주를 탐색하기에 이르렀다. 이제 우리는 자연의 신비에서 과학의 신비로 넘어와 탐구를 시작하고 있다.

이러한 사고들은 인류의 꿈을 새긴 동화를 낳게 했고 또 창조의 새로운 힘을 실어주었다. 과학은 꿈이고, 꿈은 과학이다. 인류는 과학의 세계에서 벗어날 수 없게 되었다. 이 위대한 꿈은 유아기부터 길러져야 한다. 왜 어떻게는 바로 어린이의 꿈이다. 이러한 꿈을 풀어 흥미롭고 재미있게 일깨워주는 동화가 바로 과학동화이다.

"피슈슝, 피융. 따다다."

새해를 맞이하면서 나라의 평안과 소망을 비는 폭죽 소리가 요란하게 울리는 날이었어요.

"야! 폭죽이다."

밤하늘을 은가루 금가루로 수놓은 불꽃이 너무나 아름다워 사람들은 모두 밖으로 나왔어요.

"무선아, 참 멋있지? 그렇지?"

어머니께서 아무리 큰소리로 말을 해도 꼬리를 물고 터지는 아름다운 폭죽에 반해 무선은 하늘만 올려다보고 있었어요.

"무선아, 불꽃놀이는 다 끝났으니 이제 집에 돌아가야지."

그래도 무엇을 생각하는지 꼼짝도 안 하고 하늘만 올려다보고 있던 최무선은

"오! 저 아름다운 불꽃이 무엇을 어떻게 해서 만들어졌단 말인가. 왜 우리는 못 만들까? 그렇지 저 아름다운 빛을 꼭 내 손으로 만들어 내고 말겠어."

마음속 깊이 다짐을 하였어요. 어린 무선이 이렇게 생각하게 된 것도 이유가 있었어요. 고려 때는 중국에서 가져온 폭죽은 있었어도 우리나라에서는 폭죽을 만들어 내지 못했어요. 그것은 중요한 전쟁 무기로 쓸 수 있는 폭탄을 만드는 기술이기 때문에 중국에서는 다른 나라에 만드는 방법을 가르쳐 주지 않았어요.

집에 돌아온 최무선의 머릿속에는 밤하늘을 눈부시게 수놓은 아름다운 빛을 잊을 수 없었어요.

"무선아, 뭘 그렇게 깊이 생각하고 있느냐?"

"네, 아버지. 밤하늘에 불꽃이 너무나 아름다워 잊을 수가 없어요."

"응! 그렇구나. 그 불꽃은 화약을 터트리면 빛이 나온다는구나."

"네? 화약이요? 화약이 뭔데요? 아버지, 어떻게 만드는데요?"

무선은 끝없는 질문으로 아버지도 어찌할 바를 몰랐어요.

"글쎄다. 아비도 잘은 모르지만, 그 화약이라는 것은 우리나라에서 만드는 것이 아니고 저 멀리 중국에서 들어온다는 이야기를 들었다.

"아버지, 우리가 만들면 되지 왜 그 먼 중국에서 가져오지요?"

"허허허"

어린 무선의 질문은 아버지의 말문을 막고 말았어요.

"만드는 방법을 모르니 중국에서 가져올 수밖에 없지 않겠느냐?"

"이상하다 우리가 만들면 될 텐데."

무선의 궁금증은 눈덩이처럼 불어만 갔어요.

"말도 안 돼. 왜 중국만 화약을 만들지? 내가 어른이 되면 꼭 내 손으로 화약을 만들어 내고 말겠어."

이렇게 결심한 무선은 불꽃이 튀기는 곳이면 어디든지 찾아다녔어요. 무선은 양반의 신분으로 도포를 입고 들어갈 수 없는 대장간을 찾아가 개구쟁이처럼 불꽃이 튀기는 쇳덩이를 다루다 바지를 태우고 아버님께 회초리로 종아리를 맞으면서도,

"나는 꼭 화약을 만들어 내고 말겠어."

하고 어금니를 물고 아픔을 참고 보다 강한 각오를 다지면서 밤낮으로 공부를 열심히 하여 과거를 보아 무과(武科)에 합격하였어요.

"장하구나. 과연 내 아들이구나. 이제 어찌할 생각이냐?"

"네, 병기감으로 들어가 겁이 없이 넘어다보는 왜놈들을 꼼짝 못하게 할 생각입니다."

"네가 아직도 화약 만들 생각을 잊지 않고 있었구나. 이제는 때가 되었으니 뜻대로

해 보려무나."

아버지의 승낙을 받아낸 무선은 하늘을 날 것만 같았어요. 그때부터 병기감에 들어가 화약 제조에 정성을 다하게 되었어요.

무선의 책상에는 산더미 같은 책이 쌓였어요. 읽고 또 읽고 밤을 새워가며 공부를 했으나 화약을 만들 소중한 실마리는 하나도 찾지 못했어요.

그러던 어느 날 책을 보던 최무선은 팔짝 뛰며 소리쳤어요.

"바로 이것이야. 염초와 유황 그리고 숯가루가 더해져서 화약이 된단 말이지. 야, 이제야 알았다."

그러나 유황과 숯가루는 알아도 염초에 대해서 더 알 길이 없었어요.

"염초란 먼지 속에 흙의 성분이라니? 이걸 어떻게 구하지?"

무선은 미친 듯이 먼지를 모아 물에 타서 끓이기 시작하였어요. 그러자 병기감 안에서는 웃음거리가 되었어요.

"아니, 먼지를 끓이다니 정신 나간 사람 아냐?"

"젊은이가 안 됐어. 그까짓 화약은 중국에서 사다가 쓰면 될 걸 뭐! 하하하…."

이런 소문을 듣고 친분이 있던 김 대감이 무선을 찾아왔어요.

"자네, 아직도 화약을 연구하고 있는가?"

"네, 그렇습니다. 누가 뭐라고 해도 전 이 일에 성공할 겁니다. 대감 저렇게 왜놈들이 우리나라를 틈만 있으면 침범해 오는데 마땅히 내세울 무기가 없다는 것은 저희 고려에 수치입니다. 어떻게 하던 화약을 만들어야 합니다."

"자네의 뜻이 정 그렇다면 지금 이원이라는 중국의 화약 기술자가 와 있으니 찾아가 보게나."

무선은 김 대감의 말을 듣고 깜짝 반기며 그 길로 이원을 찾아갔어요.

"일찍이 화약으로 폭죽을 만들어 우리 고려 사람까지 기쁘게 하여 주시니 대단히 감사합니다. 선생님의 높으신 학문과 훌륭한 솜씨를 축하드리옵니다. 저에게도 그 훌륭한 솜씨를 가르쳐 주십시오."

"뭐라고요. 화약 만드는 것은 우리 중국의 비법이요. 이것을 가르쳐달라는 것은 우리 중국 법을 어기는 나쁜 사람이 되라는 것이요."

하고 꾸짖었어요. 그렇지만 무선은 한 발도 물러서지 않았어요.

"그렇다면 훌륭하신 선생님을 날마다 얼굴이라도 뵙고 싶으니 우리 고려에 계시는 동안은 저의 집에 모시겠으니 허락해 주십시오. 단 하루만이라도 좋습니다."

무선은 끈질기게 교섭을 하였어요. 이원은 그 성의에 이기지 못하여 무선을 따라 집으로 오게 되었어요. 무선은 먼저 집안을 안내했어요. 집 구경을 하던 이원은 산더미 같은 책을 보고 깜짝 놀랐어요.

"아니, 무슨 책이 이렇게 많소."

"네, 제가 화약을 연구하느라 읽은 책들입니다. 이 많은 책 속에서 겨우 유황, 염초, 숯가루로 만든다는 것밖에는 얻은 것이 없습니다."

이원은 무선의 말을 듣고 또 한 번 놀랐어요. 중국의 내놓으라는 학자들도 한 가지 일에 이만한 열정을 보인 학자가 없었기 때문이었어요. 이원은 수많은 실험 도구들을 살펴보고는 고개를 끄덕이며 한참 생각하더니

"최 공, 내 화약 제조법을 가르쳐 드리리다. 저 많은 책과 당신의 그 성실한 태도와 사람됨에 놀랐소. 그러고 보니 그동안 겸손하지 못하고 잘난 체한 나 자신이 부끄럽소. 이렇게 열심히 한다면 못 얻을 것이 없을 것이오."

"선생님. 고맙습니다."

무선은 뛸 듯이 기뻤어요. 실로 오랜 고생 끝에 얻은 결실이었어요. 그 후로 연구실에서는 연속 "성공이다, 성공!" 하는 기쁨과 희망찬 소리가 들려왔어요. 화약을 만드는 데 성공을 한 것이지요. 그뿐 아니라 왜구를 쉽게 무찌를 수 있는 우수한 무기도

만들어 냈지요. 최무선은 고려의 무관이자 당대의 위대한 발명가였으며 그가 만든 화약은 그 후 임진왜란과 병자호란 때 왜구와 오랑캐를 물리치는 커다란 성과를 거뒀어요. 최무선은 훌륭한 과학자였어요.

동화 23 – 집으로 돌아온 송어(과학 동화)

1. 아침 해가 떠오르는 아름다운 동해. 남으로는 제비가 사는 따뜻한 나라. 강남으로 가는 바닷길이 있고 북으로는 두루미와 기러기가 사는 추운 나라로 가는 길들이 있어요.

2. 멀리 강원도 삼척의 두메산골 오십천 시냇가에는 아침 햇살을 헤치고 자박자박 더 깊은 산골로 가는 물고기가 있었어요. 길이는 어른 팔뚝만 하고 아래턱을 앞으로 쭉 내민 송어는 모래와 자갈로 된 잔잔한 냇물 바닥을 찾아 올라가고 있었어요.

3. "응! 영차, 영차!"
   맑은 개울물을 찾아온 송어는 꼬리로 모래를 긁어내고는 그 안에 알을 낳았어요.
   "아, 이제 내가 할 일은 다했으니 편히 쉬어야지."
   하고 알을 낳은 엄마 송어는 물에 떠서 동동 떠내려갔어요.
   그러면 수컷이 찾아와 알을 살살 모래로 덮고 알을 지켰어요.

4. "으아 ! 살려줘!"
   긴 수염을 너울거리며 알 자리 옆을 지나가던 새우가 깜짝 놀랐어요.
   "누구야? 누구길래 내 알 자리에 들어오는 거야?"

갑자기 소리치는 소리에 놀라 바위 밑에 숨은 새우는 허리가 동그랗게 굽어 꼼짝도 못 했어요.

5. 유리알처럼 맑은 송어알들이 지금 막 알에서 태어난 갓난 송어들이 하늘하늘 꼬리를 흔들며 힘찬 물고기로 자라기 시작했어요. 그러자 몇 날 며칠 알 자리를 지켜온 아빠 송어는 점점 힘이 빠져 갔어요.

6. "어이쿠, 답답해." 물이 얕고 너무 좁아 반짝반짝 시냇물에 은가루를 뿌려 놓은 듯이 가득한 송어들은 서로 몸을 부딪치는 바람에 헤엄을 칠 수 없어 불평이 많았어요.
"자, 저 넓은 바다로 가거라."
한 마디를 남기고 아빠 숭어는 물에 동동 떠내려갔어요. 아빠 말소리를 들은 갓난 송어들은 모두 바다로, 바다로 힘차게 내려갔어요.

7. "어! 이상하다. 여기는 왜 물맛이 짭짤하지?"
"바로 여기가 바다라고 하는 곳이야."
"야, 정말 먹을 것도 많다."
동동 떠다니는 물벼룩을 꿀꺽, 흐늘흐늘 떠다니는 먹이들을 꿀꺽 주워 먹고는 이제는 제법 튼튼한 송어가 되었어요.

8. "여기는 너무 덥다."
"그럼 우리 시원한 바다를 찾아가자."
크게 자란 씩씩한 송어들은 바다 밑 뻘을 찾아 내려갔어요. 바다 밑에는 땅 위와 같이 산도 있고 개울도 있고 바닷물이 움직일 때마다 키도 크고 잎도 넓은 바다풀들이 한들한들 춤을 추었어요. 바위에 붙어사는 예쁜 말미잘이 꽃잎처럼 너울거리다가 어느새 고기 한 마리를 도르르 말아서는 입속으로 꿀꺽 삼키고 말았어요.

9. 깊은 바다에는 나무처럼 빨간 산호가 너무나 예쁘게 보였어요. 송어는 슬그머니 뽀뽀를 해주었어요. 산호는 나무가 아니라 돌처럼 단단한 산호 벌레들이 모여사는 딱딱한 집이었어요.
"야, 저건 밤송이 아니야?"
그러자 서로 먼저 먹으려고 밤송이를 향해 쏜살같이 모여들었어요. "아야, 아야" 가시에 찔린 거예요. 밤송이가 아니라 성게였어요. 별처럼 생긴 불가사리들이 깔깔깔 웃어댔어요. 뽀골뽀골 모시조개가 물을 뿜어내며 웃었어요. 송어는 다시 먹이를 찾아 북쪽으로 올라갔어요.

10. 슝슝슝슝 숭어 떼들이 동해의 맑은 물을 헤치며 올라갔어요.
"누구야. 우리 바다에 누가 들어오는 거야?"
바닷물이 시커멓게 명태들이 떼를 지어 몰려왔어요. 송어 떼는 놀라서 재빨리 도망을 쳤어요. 그때였어요. 어디선가 마귀할멈 모자처럼 생긴 어망이 스르르 내려오더니 명태 떼를 싸잡아 올렸어요. 어망엔 연어, 대구, 고등어, 꽁치들도 보였어요.

11. "꽝! 어이쿠, 머리야!"
오들오들 떨리는 북쪽 바다까지 와서 커다란 얼음덩이에 머리를 부딪쳤지요. 네? 얼음덩이가 얼마나 크냐고요? 우리 동네 높은 산만큼이나 큰 거예요.

"우와! 그렇게 큰 얼음이 있어요?"

"그럼요. 이런 얼음산을 빙산이라고 하는 거예요. 여기에는 물개도 있고 바다 코끼리와 백곰이 살고 있어요."

12. 그동안 어른 팔뚝만큼이나 자란 송어는 제법 먼 바다 깊은 바다를 마음대로 돌아다니며 힘도 세지고 바닷길도 잘 알게 되었어요.

"자 나도 이젠 씩씩한 어른이 될 수 있겠지?"

그러자 귀여운 돌고래가 나타났어요.

"좋아. 그렇다면 얼마나 힘이 센가, 내기해 봐야지. 자 나를 따라서 바다 위로 뛰어 올라봐."

걱정스러웠지만 돌고래와 함께 힘껏 뛰어 올랐어요.

"좋아. 송어, 너도 이젠 어른이 되었구나. 고향에 가봐야지."

그 말을 듣자마자 고향생각이 났어요. 송어들은 고향으로 떠나기로 했어요.

13. 여름이 되던 날, 자랑스러운 남색 등에, 배는 은백색으로 자란 튼튼한 송어들은 고향을 찾아 나섰어요.

"우리 고향이 어디지!"

"한국의 강원도라는 곳이야."

"뭐! 그렇게 멀리! 하지만 우리 고향은 꼭 찾아가야지."

"자, 내 고향 한국으로 출발!"

14. 송어는 몇 날 며칠 먹지도 않고 고향을 향해 달렸어요. 동해에는 군함도 있고 여객선도 있고 화물선도 있고 하늘에는 갈매기가 함께 날아왔어요.

15. 송어 떼는 민물이 내려오는 오십천 하구에 도착하였어요. 고향에 돌아온 거예요. 어릴 때 본 돌과 물 바닥이 많이 달라졌어요. 물맛도 쓰고 시고 이상했어요. "어서 가봐야지. 아름다운 설악산에서 내려오는 맑은 물에 몸을 씻고 모래밭에 알을 낳아 한국의 송어를 키워야지." 하면서 냇물을 따라 위로, 위로 올라갔어요.

과학의 신비는 비단 화약뿐만이 아니다. 마른 땅에서 싹을 내어 꽃을 피우고 열매를 맺어 다시 씨를 퍼트리는 식물의 세계, 공룡을 비롯하여 땅 위에, 땅속에, 또 물속에, 바닷속에 사는 온갖 동물들의 신비한 생태계 이야기며 해와 달 그리고 밤하늘에 반짝이는 무수한 별, 구름, 오색찬란한 무지개, 비, 바람, 하늘을 나는 새, 하늘은 왜 파란가, 산과 육지 바다와 사막은 흙과 바위는 어떻게 생겨났나, 소리는 왜 어떻게 나고 들리는가, 빛은 무엇이며 원자란, 핵이란 무엇인가, 사람은 무엇으로 만들어졌나, 컴퓨터와 인간의 관계란, 유전자란 무엇인가, 삶과 환경은 어떤 관계인가, 어린이에게도 경제가 있는가, 돈의 세계 등등 한없이 많은 의문의 세계가 어린이의 꿈을 키워 준다.

지금까지 인류의 하늘을 나르고 싶은 꿈은 비행기에서 로켓, 인공위성, 달나라 정복의 우주선에 이르기까지 과학의 발전은 인류의 꿈을 이루어 가고 있으나 아직도 한없는 미지의 세계가 존재하고 있다.

뉴턴은 사과가 떨어지는 것을 보고 만류 인력을 발견하였다. 과학은 과학을 좋아하는 마음속에서 발전한다. 우리는 과학 이야기를 들려주어 과학 환경을 만들어 주어야 한다. 발명가의 이야기는 어린이의 마음속에 무한한 가능성을 자극하고 과학하는 마음을 길러 훌륭한 과학자의 꿈을 꾸게 될 것이다.

차. 생활동화(生活童話)

지금까지 우리는 수많은 동화를 유형별로 알아보았다. 하나하나 의의가 있다. 신화, 민화, 우화, 전설, 옛이야기는 동심을 기저로, 공상적이고 초자연적인 것을 소재로 환상적이고 서정적이고 교훈적인 것이 많았다는 것을 알 수 있다. 그러나 어린이는 상상의 세계만으로 만족하지 못한다. 우리가 현실 속에 살고 있기에 모든 상상은 현실에 근거하고 이야기의 실마리를 풀어 가기 때문에 이러한 동화만으로는 미치지 못하는 세계가 있다. 바로 우리가 살아가는 현실 세계다. 지구촌에는 우리 생활이 밀착되어 있으면서도 보지도 듣지도 못한 세계가 엄연히 존재하고 있다. 때로는 괘종시계 소리에 해가 떠오르고 수도꼭지에 손만 내밀면 물이 쏟아지고 냉장고에서 우유를 꺼내어 전자레인지에 덥혀 마시고 컴퓨터로 숙제를 하고 빨래를 건조기에 말려 입는 현실을 함께 살아가고 있다.

특히 새천년에는 우주를 마음대로 날아다닐지도 모른다. 다시 말해서 우리의 공상과 꿈이 눈앞에 실현되는 시대를 맞아 보다 새로운 꿈은 무엇일까. 이러한 이야기를 챙겨 주어야 한다. 그래서 어린이와 가까운 생활 속의 소재를 발굴해 재미있고 감동적인 동화를 그려줌으로써 생활 속의 꿈을 펼치도록 해야 한다.

동화 24 - 아파트 마을(생활동화)

민기는 11층 아파트에서 살았어요.

"아빠! 나, 목말 태워 줘."

아빠가 베란다에서 목말을 태워 주었어요. 아파트 마을이 다 보였어요.

"아빠, 자동차가 장난감 같아. 놀이터도, 그네도, 으흐…."

아빠가 한 걸음 옮길 때마다 민기의 가슴은 콩알만 했어요.

"으아, 아빠! 이러지 마, 무서워!"

민기는 아빠의 머리를 꽉 잡았어요.

"아, 아빠! 이러지 말래도….."

"너, 또 목말 태워 달라고 할 테야?"

아빠가 놀렸어요. 무섭기는 했지만, 민기는 비행기를 탄 것 같았어요. 네모난 지붕. 세모난 지붕, 반달 같은 지붕…..

멀리 보이는 산에는 작은 조개를 엎어놓은 것처럼 작은 집들이 다닥다닥 붙어 있었어요.

"어? 풍선이야, 아빠!"

빨간 풍선이 아래서 아파트 위로 올라가고 있었어요.

"어! 누가 풍선을 놓쳤지? 내려가 봐야지."

엘리베이터를 타고 놀이터로 내려왔을 때, 개구쟁이 뚱이가 울고 있었어요.

"뚱아, 왜 우니?"

"몰라, 몰라 앙…..."

"헤헤…, 싸움 박사 뚱이도 울 때가 있나?"

어느새, 뚱이의 주먹이 민기의 등을 툭, 치고는 씩씩거리며 민기를 쏘아보고 있었어요. 뚱이는 풍선을 놓쳐 버려 심술이 났거든요.

"싸울래?"

민기는 권투 선수처럼 주먹을 모아쥐었어요.

"와— 와— !"

아이들이 모여들었어요. 재미난 구경거리가 생긴 모양이에요. 미끄럼대 위에서 정글짐 위에서, 구름다리 위에서, 아이들이 신나게 손뼉을 치고 있었어요. 아 ! 3층에 사는 누나가 롤러스케이트를 타고 오네요.

"누나는 내일모레 롤러스케이트 대회에 나갈 거래."

아이들이 수군거렸어요. 민기와 뚱이도 싸우는 것을 잊은 채 구석에서 구경을 했어요.

"애들아. 기름 짜기 하자. 기름 짜기. 으아!"

미끄럼을 먼저 타고 내려간 형이 밑에서 버티고 있었어요. 쭈르르 쭈르르….

미끄럼을 타고 내려오는 아이들이 차곡차곡 쌓였어요.

"야, 신난다!"

모두 즐거워 소리치는 기름 짜기 놀이였어요. 민기는 싸우는 것도 잊어버리고 친구들에게 씩씩하게 소리쳤어요.

"우리는 그네 타러 가자."

민기와 뚱이가 앞서 달려갔어요.

"내가 먼저 탈래."

"아냐, 내가 먼저야."

둘이는 그넷줄을 하나씩 붙든 채 이리 당기고, 저리 당겼어요.

또 싸우려나 봐요.

"가위바위보!"

옆에서 형들이 가위바위보를 하고 있었어요.

"우리도 가위바위보로 정하자."

"그래, 가위바위보!"

"야, 내가 먼저야."

민기가 이겼어요. 뚱이는 그네를 타고 싶었지만 약속을 지켜야 했어요. 민기는 그네를 타고 있는 동안 뚱이는 모래밭으로 갔어요.

"두껍아, 두껍아, 헌 집 줄게, 새집 다오!"

한 움큼 모래알을 그러모아 손등 위에 놓고 다독거렸어요. 반달 같은 예쁜 집이 만들어졌어요. 민기는 하늘높이 올라갔어요.

"멍멍멍!"

뚱이네 애완견 복술이가 쫄랑쫄랑 뛰어오더니 애써 지어놓은 모래집을 밟아 뭉개 버렸어요. 하지만 뚱이는 울지 않았어요. 뚱이는 복술이하고 친한 친구였거든요.

민기는 그네를 열 번씩 두 번이나 타고는 내려왔어요.

"뚱아, 이젠 네가 탈 차례야."

"난 복술이랑 놀 거야."

뚱이와 복술이는 저쪽으로 달려갔어요.

떼구르르…. 노랗고 예쁜 공이 굴러왔어요.

공을 본 뚱이가 달려왔어요. 굴러가는 공을 잡으려고 민기도 뛰어갔어요.

"어? 복술아! 이리와."

먼저 달려간 복술이가 공을 물고 도망쳐 버렸어요. 민기와 뚱이가 뒤따랐어요.

타이어 구멍을 지나서 시소 밑으로 갔어요. 공을 물어뜯으려다 그네 밑을 한 바퀴 돌아서 도망쳤어요. 복술이는 아파트 거리로 뛰어나갔어요. 그 뒤에는 민기, 뚱이, 연이, 철이, 미나….

친구들이 하나씩 둘씩 함께 뛰었어요. 자전거를 타던 영철이도 롤러스케이트를 타던 누나도 있었어요. 동네 아이들이 모두 소리치며 뛰어갔어요. 마치 아파트 마을 운동회 같았어요.

복술이가 슈퍼마켓 안으로 쑥 들어갔어요. 뒤따르던 아이들도 슈퍼마켓 안으로 들어갔어요.

"무슨 일이니?"

슈퍼마켓 아저씨는 어리둥절했어요. 슈퍼마켓에는 복술이를 찾는 아이들로 가득 찼어요. 과일 진열대가 넘어져 과일이 쏟아졌어요. 넘어진 아이도 있었어요. 와글와글 시끌시끌….

슈퍼마켓 안은 온통 수라장이 되었어요. 복술이는 신이 났어요.

이번에는 공을 물고 공원으로 달려갔어요. 동네 아이들은 빗자루를 들고 쫓아갔어요.

비둘기가 놀라서 날개를 푸드득거리며 하늘로 올라갔어요. 신문을 보시던 할아버지도 깜짝 놀라 안경을 벗고 쳐다봤어요. 조용하던 공원은 갑자기 와글와글, 구경꾼이 모여들었어요.

멍! 멍! 멍! 연못가에서 복술이 소리가 들렸어요.

"어? 저기다!"

모두 연못가로 달려갔어요. 복술이는 연못 속의 공을 보고 있었어요.

"어? 내 공이 연못 속에 빠졌어. 앙!"

철이가 울음을 터트렸어요. 공의 주인은 철이었나 봐요.

"어떡하지?"

"어떡하나?"

모두 걱정을 했어요. 모두 손에 손을 잡았어요. 그리고는 긴 빗자루를 든 누나가 연못에 빠질 듯이 엎드려 연못물을 앞으로 쓸었어요.

"야! 공이! 온다!"

노랗고 예쁜 공이 물결 따라 점점 물가로 나왔어요.

"옛다!"

누나는 철이에게 공을 돌려주었어요.

"만세! 만세!"

모두 기뻐서 만세를 불렀어요.

집으로 돌아오는 길에 뚱이가 민기에게 귓속말을 했어요.

"다음부터는 심술 안 부릴게. 우리 사이좋게 지내자."

"그래 좋아. 한바탕 뛰고 나니까 목이 마른걸. 우리 집에 가서 아이스크림 먹자."

민기는 뚱이 손을 잡고 달음박질쳐 갔어요.

어린이의 생활 속에 한 줄거리가 흥미롭게 전개되고 있다. 공을 물고 간 복술이의 뒤를 따라 몰려다니는 아이들의 모습이 우리 생활 속에 뚜렷이 드러난다. 그 사이 사이에 여러 가지 사건이 어우러져 더욱더 현실적인 감각이 살아 움직여서 어린이들에 상상력을 일깨워주는 흥미로운 생활동화이다. 이 동화 속에서 어린이들은 모르는 사이에 협동하고 공동체로 이끌어 가는 간접경험을 얻는다.

이야기 동화하면 민화나 전설을 생각하는 경향이 많은데 생활동화의 중요성을 빼놓을 수가 없다. 옛날과는 달리 어린이문화의 발달로 직접 간접으로 넓은 경험을 하고 있다. 어린이들의 경험 세계는 어른들이 미치지 못하는 공상세계까지 이르고 있다. 요사이는 컴퓨터, TV, 전자오락에서도 공상과학과 SF영화 등 과거에는 꿈도 꿔보지 못한 공상이 마치 현실처럼 움직이고 있다. 어린이는 자신들의 꿈을 대신하여주는 영상에 심취되어 옛날이야기의 매력을 잊어가고 있다.

돌이켜 생각해 보면 이러한 영상물 이전에 생각이 있었고 말이 있었다. 말처럼 재미있고 풍부한 이야기를 꾸밀 수 없듯이 생생한 과학동화를 잘 정리하여 생활동화로 들려주기를 기다리고 있다. 그것은 어떤 이야기보다도 이해가 빠르고 색다른 호기심을 불러일으켜 어린이들의 창의력 자극에 많은 도움이 되기 때문이다. 이밖에도 성서 이야기, 불교동화 등이 있다.

위와 같은 모든 이야기를 어린이들에게 전달하려면 전승문학(傳承文學)을 아동문학으로 바꾸는 과정을 거쳐야 한다. 선조들의 지혜와 용기, 나아가서는 인류의 역사와 생활과 사상을 후세에 전하는 것은 중요하지만 이야기의 대상이 어린이일 때는 이해의 척도에 따라 어린이에게 알맞은 눈높이 내용과 문체로 개작하는 과정이 필요하다.

제 5 장

옛이야기에
새 옷을 입히려면

1. 말하는 이야기 동화의 실제

어린이는 이야기를 좋아한다. 잠시도 쉴 새 없이 뛰고 놀고 움직이며 정서가 불안한 어린이도 이야기를 들을 때는 조용히 경청한다. 그들은 특별한 이유가 있어서가 아니다. 이야기가 즐거운 놀이처럼 재미 있기 때문이다.

이야기 속에는 지금까지 경험하지 않은 새로운 세계가 그림처럼 눈에 보이기 때문이다. 어린이가 움직이는 역동적 성질은 무한한 미지의 세계에 대한 탐구이며 경험을 넓혀 주어진 환경에 적응하려는 활동의 하나이다.

그러기에 어린이는 위험과 무서움도 모르고 모든 것을 손으로 만지고 올라가고 들어가 타보고 두려움이 없이 도전해본다. 어린이는 이러한 경험을 통해서 또 하나의 세계에 도약을 한다. 말하는 이야기 동화는 이러한 체험적 경험을 통하지 않고 상상의 세계에서 아주 쉽게 간접적 경험을 얻어 즉석에서 현실과 환상의 세계를 자유롭게 오고 갈 수 있기 때문에 어린이는 즐겁게 듣는다.

2. 말하는 이야기 동화의 특성

유아들 가운데는 한글을 읽고 내용을 아는 어린이도 있는가 하면 글을 여기저기 골라 읽기는 해도 어른의 서투른 외국어와 같이 글의 뜻을 음미하여 읽기까지는 미치지 못한다. 그러기 때문에 어른이 읽어주거나 이야기로 들려주는 것이 일반적이다.

같은 동화이지만 '눈으로 보고 읽는 동화'와 어른이 이야기로 들려주는 '귀로 듣는 동화'의 영향은 뉘앙스가 다르다. 즉 읽는 동화는 줄줄이 글을 읽어서 아는 만큼의 이해를 하지만 듣는 동화는 먼저 자신이 읽는다는 부담을 덜고 귀로 듣는 언어의 미묘한 감성 작용이 더하여 리듬의 즐거움, 말의 강약, 소리의 높낮이, 느리고 빠른 속도 등이 주는 이야기의 감정에 따라 미묘한 차이를 보인다.

읽는 동화는 일상 생활언어와는 달리 아동을 대상으로 교육과 흥미를 고려하여 의식적으로 글로 다듬어 쓴 산문문학으로, 문어체로 되어 있다. 글로 쓴 옛날이야기도 이 범주에 속한다. 그리고 '말하는 이야기 동화'는 우리가 일상생활에 말하듯이 이야기하는 구어체로 쓴 글을 말한다. 문어체보다는 쉽고 서민적이며 생활 주변의 말로, 자유롭게 자주 듣고 자신도 말을 하고 있어서 사람의 감정이 한층 더 강조되어 친근감이 있고 빠른 이해를 이해할 수 있다. 문어체와 비교하면 구어체는 다음과 같은 특징이 있다.

(1) 즉시성(immediacy) : 들으면 즉각, 지체 없이 곧 바로 이해를 하며
(2) 현실성(現實性 reality) : 실제로 일어날 수 있는 가능성을 그릴 수 있으며
(3) 정서적 유발성(emotional compact) : 이야기를 듣고 일어나는 온갖 감정에 이끌려 빠르게 반응한다.

따라서 듣는 동화는 이야기를 들으면서 자기 나름의 상상이 가능하며 이야기하는 사람의 표정에서 또 하나의 감정을 읽을 수 있어 말하는 이야기 동화에 심취하게 된다.

3. 말의 매력

어린이는 무서운 이야기도 끝까지 들으려고 한다. 이것은 분명히 이야기 속에 새로운 세계를 발견하고 탐구하려는 감동이 있기 때문이다. 이것은 어떤 인상을 감지하는 직관적 수동적인 능력을 말한다.

어린이는 먹고 자고 노는 것이 그들 생활의 전부이다. 이 중에서 잘 먹는 것은 신체 발달을 돕는 것이고 잘 노는 것은 지적발달을 돕는 것이며 잘 자는 것은 잘 쉼으로써 먹고 노는 데서 얻어진 지적 신체적 에너지의 조화와 발달을 돕는다.

그중에서도 말하는 이야기 동화 즉, 글로 보여 주는 이야기가 아니라, 말로 들려주는 동화는 말하여 주는 이의 동화에 대한 숙달된 이해와 표현에 따라 어린이들이 얻는 내용은 달라진다. 권선징악의 간접적 경험을 통해 감동하고 새로움을 깨우칠 수 있다.

첫째, 선과 악을 구별하고 인간이 살아감에 있어서 윤리 도덕은 어떠해야 하는가를 익힌다. 둘째, 상상력을 계발하고 지식을 얻는다. 셋째, 고운 말 바른말을 알게 되고 최초로 문학과 만나게 됨으로써 평생 책을 가까이하는 계기를 마련한다. 넷째, 바람직한 삶의 아름다움을 알게 된다.

어린이에게 마음의 양식이 되는 말하는 이야기 동화는 한마디로 즐겁게 듣는 어린이의 마음속에 꿈을 키워주는 것이다.

어린이가 이야기 동화에 흥미를 갖게 되는 것은 스스로 이해의 척도에 따라 무한한 사고를 할 수 있는 동기를 주는 것이다. 간결하고 조리 있는 줄거리 속에 펼쳐지는 새로운 세계에 대한 동경과 변화에 따른 상상력의 충족감 현실적 만족 등 심리적 갈등을 해소하고 정서적 안전감을 얻기 때문이다. 따라서 구체적으로는 연령 별로 동화의 소재 선택은 중요하다. 또한 화술도 세심한 주의와 표현의 기술적 방법이 깊이 연구되어야 한다. 같은 이야기를 듣는다고 해도 이야기를 하는 사람 자신의 동화에 대한 이해와 표현의 숙련도에 따라 어린이가 받아들이는 흥미와 내용은 서로 다르다.

어린이는 심신 양면에 끊임없는 활동체로서 듣는 이야기만으로도 이해의 척도에 따라 공상적이며 모방적이며 실험적으로 간접경험을 재구성하고 창조해 나가는 현실적 사고 체계를 가지고 있다. 따라서 필요 이상의 과장된 표현이나 어린이의 언어생활의 리듬을 깨는 화술은 도리어 그들의 상상 세계를 무너뜨릴 우려가 있다.

우리는 말에 의해서 생각하게 되고 말에 의해서 행동의 지표를 정하게 된다. 말은 어디까지나 곱고 아름답게 어휘 하나하나가 가지고 있는 어감의 미묘한 차이를 충분히 살려 깊이 있게 전달되어야 한다. 그리고 이야기는 첫째도, 둘째도 재미있어야 한다. 이야기를 듣는 어린이의 표정을 보면 자신이 들려주는 이야기의 흥미도가 눈에 들어온다. 그때마다 박차를 더해서 더 재미있게 기쁘고 슬프고 성난 감정을 생생하게 전할 수 있어야 한다.

따라서 이야기 동화는 듣는 어린이의 나이에 따라서 흥미를 끌고 쉽게 이해하고 재미있게 하려면 먼저 어린이의 언어 속도에 맞춰 호흡을 같이하여야 한다. 그리고 말의 어감과 억양이 그 어린이들이 즐기는 대화체를 잘 선택하여 이야기의 흐름에 명확한 인상을 주어야 한다.

어린이의 언어생활을 보면 말에 표정이 있다. 어린이가 한길에서 뜻밖에 엄마를 만났을 때 자주 느끼는 표정이지만 엄마를 반겨 부르는 한 마디 말 속에 자기의 심정 그대로 묘사된다. 가령 '엄'을 누르고 '마'에 힘을 주고 꼬리를 길게 부를 때의 '엄마'라는 말의 억양은 자연스러운 정겨움을 나타낸다. 이러한 표정에는 여러 가지 의미를 보여준다.

1. 뜻밖이다 2. 반갑다 3. 기쁘다 4. 놀라다 5. 환상적이다 6. 고무적이다
7. 자신감이 생긴다 8. 행복감이 든다, 하는 감정을 느낄 수 있다.

이러한 다양한 표현은 언어 리듬의 강약에 따라, 말소리의 높낮이에 따라, 말의 속도에 따라 상대방에 다음과 같은 자기 생각의 느낌을 주게 된다.

1. 고민이 있어서 2. 희망이 없어서 3. 배가 고파서 4. 양심에 가책을 받아서

5. 거짓말을 해서 6. 기분이 나빠서 7. 할 놀이가 생각나지 않아 심심해서
8. 친구가 가엾어서, 등 눈에 보이지 않은 마음의 상태가 소리를 타고 나온다.

말하는 이야기 동화는 이렇게 사실적이면서 살아있는 말 한마디에 감동을 불러일으키게 된다. 말의 표정은 살아 있는 감정만이 호소력이 있다.

이러한 관점에서 보자면 여러 동화대회 출연자들의 표정 속에 다음과 같은 이야기의 서두를 장식하는 여러 상황을 읽을 수 있었다.

"옛날 아주 깊은 산골에 낡은 집 한 채가 있었어요."

이야기의 서두란 이야기 앞에 내놓아 내용이나 분위기를 사건의 발단을 암시하는 것으로, 흔히 프롤로그(prologue)라고 한다.

먼저 글을 읽는 것이 아니라 여기서는 말하는 이야기이기 때문에 먼저 내용을 잘살피고 어린이의 호흡에 맞춰 소리를 멈추고 내는 것에 따른 음조 즉 소리의 높낮이와 강약, 빠르고 느린 정도, 소리의 높낮이와 길이의 어울림 등을 고려하여 몇 번 원고를 읽으면서 표시를 하고 연습을 한다.

먼저 첫인상의 표정을 다정하게 하면서 가벼운 의문을 표하면서 평범한 음색으로 '옛날'하고 사뿐 끊은 다음은 말이 굴러가듯이 '아주 깊은 산골에'에서 '에'에 아주 가벼운 정도로 흔적이 없게 사뿐 의문형으로 짧게 멈춘다. 이윽고 '낡은'은 소리를 낮추고 리듬 있게 발음한다. 이것은 깊숙하고 의문스러운 감각을 유도하기 위해서이다. 그리고 또렷이 '낡은', 하고 쉰 다음, 다시 시작하는 기분으로 '집' 하면서 손가락으로 하나를 가리키며 '한 채가 있었어요'. 라고 한다.

평범한 말인데 이야기의 서두이고 이야기 전체의 분위기를 끌어내려니 설명이 길어졌으나 두고두고 생각해 볼 문제이다.

어느 날 참새가 파리를 잡아먹으려고 이리저리 쫓아다녔어요. 파리가 기둥에 앉아 참새가 파리를 보고 쏜살같이 날아들었지만 파리는 온데간데없고 참새만 기둥에 "쾅" 하고 부딪치고 말았어요.

"아이고 머리야. 짹짹."

머리가 휭 돈 참새가 정신을 차리기도 전에 처마 밑에 숨은 파리가 하는 말이 들려왔어요.

"짹짹 참새야. 너는 뭣 때문에 아무 죄도 없는 나를 잡아먹으려다 기둥에 '툭' 부딪쳐 눈알이 뱅뱅 돌아가니?"

"아니 뭐라고? 네가 죄가 없다고? 너는 살려둘 수가 없어. 어디든지 흰 곳에는 검은 똥을 찍 싸고, 검은 곳에는 흰 똥을 찍 싸고, 더러운 곳을 찾아다니며 발에는 온갖 무서운 병균을 묻혀다가 밥상에 날아와 털어놓고 낮잠 자는 아이들의 얼굴에 내려앉아 살금살금 기어 다니며 그런가 하면 밤낮없이 앵앵거리며 날아다니니 사람들이 얼마나 시끄럽고 괴롭겠느냐. 그런 못된 놈을 먹지 않고 누구를 잡아먹으란 말이냐."

그러자 파리가 머리를 요리 저리 갸우뚱대다가 하는 말이

"얘, 짹짹 참새야, 너 말 다 했니? 이 세상에 태어나 다들 자기를 위해 살지, 남을 위해 사는 게 몇이나 되는 줄 아니? 그래, 너는 사람들을 위해서 뭘 한다고 큰 소리야? 사람들이 피땀을 흘려가며 힘써 농사를 지어놓으면 너는 논밭으로 돌아다니며 곡식을 네 마음대로 톡톡 쪼아 먹더구나. 그뿐이더냐. 아무 죄도 없는 벌레를 하루에도 몇 백 마리씩 잡아먹으니, 그것은 잘한 일이더냐? 그 죄는 마땅히 벼락을 맞아도 불쌍하지 않겠다."

참새와 파리는 자기 죄는 없고 서로 잘났다고 싸움을 하다가 할 수 없이 까치에게 가서 재판을 받기로 했어요.

까치는 둘의 말을 한참 듣고 나더니

"얘, 너희들이 사람에게 해를 끼치는 것은 둘다 마찬가지이지만 그래도 파리는 익은 음식을 먹으며 음식도 그리 많이 먹지도 않으며 똥을 눈다고 해도 그리 많지 않으니까, 용서하겠다."

까치는 다시 참새에게 말하기를

"참새는 사람들이 많은 돈과 힘을 들여 애써 농사를 지어놓으면 곡식이 미처 익기도 전에 하루에도 몇 줄기씩 쪼아 먹고 아무 죄도 없는 벌레를 네 마음대로 잡아먹으니 너는 꼭 벌을 받아야 마땅하다."

참새는 할 수 없이 까치에게 벌을 받게 되었어요. 까치는 회초리로 종아리 백 대를 때려 쫓아보냈어요.

그래서 참새는 다리가 몹시 아파서 뼈만 남은 가느다란 다리가 되어 지금까지도 깡충깡충 뛰어다니고, 파리는 까치에게 와서 "죄를 용서해 주셔서 고맙습니다. 고맙습니다." 하고 언제든지 앞발이 닳도록 싹싹 빈다고 하지요.

제 6 장

이야기 동화의 화술

1. 어린이 언어생활의 리듬에 맞는 화술
2. 글월과 글월이 모여 이루는 이야기의 대문
3. 의성어와 의태어가 살아있는 입말

1. 어린이 언어생활의 리듬에 맞는 화술

구연동화라고 함은 풍부한 상상과 공상력을 가진 어린이들을 대상으로 환상적인 세계로부터 현실 생활에 이르기까지 다양한 동심의 세계를 그린 이야기를 전문적인 구연자에 의해서 어린이들에게 들려주는 동화의 영역을 말한다.

그러나 최근에는 전문 구연자에 한하지 않고 가정이나 교육기관에서 누구나 어린이에게 이야기를 들려줌으로써 구태여 구연동화라 이름하지 않아도 어린이들에게 상상과 현실이 접목하여 살아있는 동화라면 듣는 동화로서의 가치는 충분하다고 본다.

'이야기 동화'의 교육적 가치는 한마디로 즐겁게 듣는 어린이 마음속에 꿈을 키워주는 일이다. 어린이가 이야기 동화의 흥미를 갖게 되는 것은 어린이의 이해 척도에서 무한한 가능성을 발견하기 때문이다. 동화를 들을 수 있는 시기는 간결하고 조리 있는 줄거리 속에 펼쳐지는 새로운 세계에 대한 동경과 변화에 따른 상상력에 충족감과 현실적 만족 등 심리적 갈등을 해소하고 정서적 안정감을 얻으려고 할 때이다.

그러기에 구체적으로는 연령별 동화 소재의 선택도 매우 중요한 위치를 차지한다. 화술도 세심한 주의와 표현의 기술적 방법이 깊이 연구되어야 할 것이다. 같은 이야기를 듣는다고 하더라도 표현에 따라 어린이가 받아들이는 것은 서로 다르다.

어린이는 심신 양면의 끊임없는 활동체로서 공상적이며 모방적이며 실험적이어서 그 이해의 척도의 따라 경험을 재구성하고 창조해 나가는 등 현실적 생활 세계를 가지고 있다.

따라서 필요 이상의 과장된 표현이나 어린이의 언어생활의 리듬을 깨는 화술은 도리어 그들의 상상 세계를 무너뜨릴 우려가 있다. 우리는 말에 의해서 생각하게 되고 말에 의해서 행동거지를 정하게 된다. 말은 어디까지나 곱고 아름답게 그 말 자체가 가지고 있는 의미를 충분히 살려 깊이 있게 전달되어야 한다. 그리고 이야기는 첫째도 둘째도 재미있어야 한다. 듣는 어린이의 표정을 보면 이야기에 흥미도가 보인다.

그때마다 더 재미있게 기쁘고 슬프고 성난 생생한 감정을 전할 수 있어야 된다. 따라서 이야기 동화는 듣는 어린이가 쉽게 이해하고 재미있게 듣게 하려면 어린이의 평소 말의 속도에 맞춰 호흡을 같이하여야 한다. 그리고 말의 어감과 억양이 명확한 인상을 주어야 한다. 말에도 표정이 있다. 눈에 안 보이는 표정이 살아 있어야 한다. 지금까지 이야기 동화의 실태를 보면 음성언어의 미감은 고려되지 않고 상황에 따른 내용만 강조된 경향이다.

"옛날 깊은 산골에 낡은 집 한 채가 있었어요."

지금 이런 이야기의 서두가 있다면 어떻게 시작해야 할까요? 대부분 국어사전에 없는 장음 처리로 의미만을 강조하려는 구태의연한 화술에 의존할 것이다. 말은 언어의 미감을 살려서 자연스러워야 한다. 평소 어린이가 생활에서 사용하는 말보다 더 예쁘고 명확하게 하여야 한다. '옛날'을 '옛~날'이라고 말하여 100년이 1000년으로 변할 수 있을 것이다. '옛날'을 강조하고 싶으면 강조할 만큼의 말이 얼마든지 있다. 동의어를 다시 반복하면 깊이가 달라진다.

즉, '옛날, 옛날' 그것도 모자라면 '옛날, 옛날 한 옛날에' 그것도 모자라면 '옛날, 옛날 아주 멀고 먼 옛날' 이렇게 얼마든지 강조할 수 있음에도 불구하고 '옛날'이라는 짧은 어감 속에 몇천 년의 긴 세월을 다 담으려는지 "예~ㅅ 날"하고 말의 새로운 리듬을 꾸며내어 듣는 어린이 중심이 아니라 구화자 자기중심적인 화술을 꾸며내는 사례가 많다. 동화는 재미있고 줄거리가 있어야 하며 분위기가 있어야 한다. 먼저 이야기 자료가 선택되면 내용을 잘 파악해야 한다.

2. 글월과 글월이 모여 이루는 이야기의 대문

이야기 글은 글월과 글월이 모여서 하나의 대문이 이루어진다. 이 대문은 다시 모여서 하나의 글을 이루게 된다. 대문은 하나의 글을 그 형태와 내용에 따라 몇 개로 나눈 한 토막이다. 문단 또는 단락이라고도 한다.

우리가 대문을 공부하는 것은 남의 글을 읽고 그 내용을 바르게 이해하고자 하는 데 있듯이, 이야기를 파악하는데 중요한 요소가 된다. 우리는 이미 이런 형식에 젖어있기 때문에 이 대문을 잘 파악하여 이 대문에서 말하고자 하는 뜻을 구어체로 자신에 화술에 맞게 정리하여 화술의 기승전결을 설정하여 가장 자연스러운 언어적 미감을 살려 이야기하여야 한다.

이것은 듣는 어린이에게 이해를 촉구하고 흥미를 유발하여 재미있게 들을 수 있는 환경을 조성하는 사례가 될 것이다. 이야기 동화는 누가 언제 어디서 무엇을 어떻게 등 그 행적이 분명하게 전달되어야 한다. 그래서 동화를 외우면 몇 번씩 녹음하여 다시 듣고 수정을 해야 한다. 자신이 이야기 속에 주인공으로 바로 그 현장에서 느끼는 것과 같이 충분한 감정이 표출되어야 한다. 그렇게 해야 듣는 사람이 실감할 수 있다.

읽는 이야기와 듣는 이야기의 차이는 바로 여기에 있다. 글월로서는 "어느 소녀가 해질 무렵 무서운 숲길을 가고 있었다."

이 글을 이야기 동화로 말하자면 "어느 소녀가 어둠에 밀려드는 깊은 숲길을 한 걸음 한 걸음 걸어갈 때마다 바스락바스락 소리가 들려왔어요. 부엉!"

말소리를 가다듬어 점점 여리게 속도감을 줄이며 마치 듣는 어린이가 그런 환경에 처해있는 듯 느끼게 하면서 이야기를 진행한다면 더욱 실감이 날 것이다.

그 실태를 보면 어휘의 원래 어감보다 더 이상야릇한 억양으로 강조하다 보면 실감을 악센트로 강요하는 것처럼 부자연스러운 점이 적지 않다. 말은 어디까지나 생활어의 범주에서 어휘가 가진 미감을 살려 바른 입 모양으로 표정이 있는 말이 되어야 한다. 특히 장음과 단음으로 구별된 말, 겨울에 내리는 '눈', 내 눈에 '눈', 어두운 '밤', 먹는 '밤' 등 글은 같아도 뜻이 달라 소리의 길이로 구분되는 말들이 많이 있다.

이야기 동화는 자라나는 어린이들의 언어 교육에 많은 영향을 미치고 있다. 유치원에서 '손 유희'라 하여 수많은 어린이가 한꺼번에 소리 내어 선생님을 따라 하는 과정이 있다.

그러기에 생활언어와는 달리 이상한 말 리듬을 붙여 우리말에 자연스러운 미적 감각을 파괴하는 사례가 있다. 이렇게 자란 어린이들의 말은 경직되고 불필요한 말을 리듬에 시달리고 있다는 것을 잘 이해하여야 할 것이다.

3. 의성어와 의태어가 살아있는 입말

이야기 동화는 어린이와 호흡을 같이하여야 한다. 어린이는 심장의 기능이 빠르기에 말에 속도도 어른보다 빠르고 단숨에 많은 말을 하는 특징이 있다. 우리는 이야기 동화를 통하여 정서적 안정감을 주어야 한다. 글월에 쉼표와 숨표 등을 잘 지켜주어야 한다. 알맞게 띄어 말하기와 숨을 꼭 쉬어야 할 곳을 구별해야 한다. 특히 이야기 동화 속에는 일인이역, 일인삼역의 극적인 상황이 나온다. 변성을 하고 상대방의 소리를 만들어야 한다. 이것은 대화자의 나이에 따라 그 특징을 잡아 이야기하는 것을 주체로 해야 할 것이다.

그리고 인상적인 언어 즉, 마녀나 요정처럼 의인화한 것들도 그 선택에 따라 특징을 살려 재미있게 표현되어야 한다. 이야기는 대상이 있음으로써 듣는 어린이에게 주의 집중, 말뜻의 강조와 말의 생략, 명확한 인상 등을 안겨주기 위해서 적절한 제스처가 있어야 한다.

너무 과장되지 않게 그리고 듣는 대상들이 이해할 수 있는 인상에 제스처를 예쁘게 표출해 줌으로써 더욱 실감있게 이야기의 내용을 강조해 나갈 수 있다.

첫째, 눈은 의지의 표현으로 크고 작고 눈의 초점에 따라 말 이상의 강한 인상을 준다. 구연자는 일인이역, 일인삼역의 역할을 하고 상대적인 대화를 혼자 표현하기 때문에 시선의 각으로 대화자를 구분하고 얼굴의 표정을 통해 희로애락의 감각적 표현을 말과 평행하여 조화를 이루도록 하여야 한다.

크게는 상반신으로 몸 전체가 다 표정을 지어야 한다. 신체 미학으로 보자면 머리는 지적인 표현, 어깨는 의욕적인 표현, 가슴은 정동적 표현, 배는 욕망적 표현, 허리는 욕정적 표현, 손과 발은 의미를 강조하고 표현을 확대하는 보완적 역할을 한다.

이야기 동화는 일조일석에 교육적 효과를 거둘 수는 없으나 어린이는 이야기를 듣고 내면에 누적시켜 점차 체질이 변하게 된다. 그럼 저자의 짧은 창작동화「대구와 병치」를 말하는 이야기 동화답게 의성어와 의태어가 살아있는 입말로 생생하게 구연해 보기로 하자.

동화 26 – 대구와 병치(동화의 화술)

옛날, 옛날 아주 먼 옛날, 바다 고기들이 말을 하는 옛날이었어요. 아침 해가 떠오르는 햇살이 바닷속 깊이 스며들었어요.

"아침이다. 어서 일어나."

"어이쿠, 어이쿠, 조금만 더 자자고. 하하하, 하하."

늦잠꾸러기 대구가 한마디할 때마다 병치는 대구가 하는 짓이 우스워 깔깔대고 웃어댔어요. 지금은 입이 큰 대구이지만 옛날에는 커다란 머리에 입이 조그마해서 대구가 말을 하면 눈이 말을 하는지 입이 말을 하는지 눈알이 뱅글뱅글 돌아가는 모습이 정말 우스웠어요. 그래서 구경꾼 중에는 꼭 병치가 한 자리를 차지하고 있었어요.

"하하! 정말로요!"

꽁치가 지나가다 하는 말이 "병치야, 너 선 보러온대! 좀 얌전히 하고 있으라구."

병치는 이 말을 듣고 한쪽으로는 좋기도 하지만 부끄럽기 짝이 없었어요. 그래서 커다란 소라껍질 뒤에 숨어 있으려니까 조기가 커다란 대구를 데리고 찾아왔어요.

"어머나. 대구가 웬일이지!"

병치는 친오빠처럼 몹시 반가웠어요. 그러자 조기가 살금살금 꼬리쳐 오더니 "예, 병치야, 너, 대구 좋아하지? 대구에게 시집갈래?" "어머나, 이거 왜 이래" 하고 입을 삐죽거리며 소라껍질 속에 머리를 묻었어요.

그러자 조기는 대구에게 쫓아가서 "예, 대구야, 너 병치에게 장가 안 갈래?" 하고 묻자 대구는 너무나 좋아서 "하하, 하하" 하고 큰소리로 웃어대자 입이 점점 벌어져 입이 커다랗게 찢어져 버렸어요. 이 말을 듣고 있던 병치는 "좋아하시네" 하고 삐죽거리는 입이 그만 그대로 굳어버려 고기 중에서 입이 가장 작은 고기가 되고 말았다고 해요.

제 7 장

세계의 동화에
대한 단상

- 신데렐라
- 로빈 후드의 모험
- 잭과 콩나무
- 세 마리의 돼지
- 알프스 소녀 하이디
- 일곱 마리 아기염소와 늑대
- 이솝우화
- 오즈의 마법사
- 피노키오
- 그림 형제 동화의 무대 '독일의 숲'

신데렐라 콤플렉스의 유래

– 「신데렐라」

　「신데렐라」의 원작자는 한 사람인데 세계 각국에는 400개 이상의 이야기가 있다고 말합니다. 그래서 신데렐라는 유럽의 민화라고도 합니다. 「신데렐라」의 원화는 17세기의 샤루루 패로가 썼고 당연히 독일의 그림동화 속에도 있습니다.

　주인공인 소녀가 계모와 의붓언니에게 학대를 받다가 요정의 도움으로 왕자와 결혼하여 행복하게 산다는 이 이야기는 17세기의 패로가 쓴 이야기로 왕조풍의 화려함과 우아함, 그리고 유리구두에 의해서 신데렐라에게 요정과 같은 매력을 주어 환상적이고 시적인 세계를 표출하고 있습니다. 또 구박하는 역경 속에서 지지 않고 아름다운 마음을 가졌기 때문에 요정의 도움으로 행복한 공주님으로 변신하는 신데렐라 이야기는 지금도 더욱 많은 사람이 공감하는 아름다운 이야기입니다. 반면 유리 구두를 얻은 여자가 행운을 못 얻으면 '신데렐라 콤플렉스'가 생긴다는 말도 여기서 유래했습니다.

사랑할 수밖에 없는 무법자

– 「로빈 후드의 모험」

어느 민족이나 이야기가 계속되고 있는 '영웅전설'. 어느 민족이나 끊이지 아니하는 영웅전설이 있는 것 같다. 민중은 강하고 자유로운 영웅이 하는 일을 지금이나 그때나 실현되기를 기대하며 기다린다.

로빈 후드의 이야기는 영웅전설의 대표적인 이야기이다. 12세기경 잉글랜드의 이야기. 귀족이나 승려의 윤택한 생활과는 반대로 사람들은 그날, 그날 살아가는 데 힘이 들만큼 어려운 때였다. 그 위에 관료는 왕실의 힘을 업고 사욕을 채우려는 자가 많이 있어 민중 사이에서는 불평불만이 끊이지 않았다.

활쏘기의 명인 로빈 후드는 자유의 상징이기도 한 사우드의 숲의 본거지로 나쁜 권력자, 욕심 많은 부자를 골려주고 약하고 가난한 사람들을 돕는다. 사람들은 강하고 정의롭고 자신들의 편인 영웅 로빈 후드에게 박수갈채를 보냈다. 때로는 실패도 하며 감정을 솔직히 감추지 않은 영웅을 도리어 인간적으로 더 가까이 느끼며 사랑하였다.

아우트로(무법자)이긴 하지만 국왕에게는 절대적인 충성을 다했다는 이 점이 영국 국민을 공감케 한 요소이기도 하다. 「로빈후드」의 원작은 존재하지 아니하고 여러 만화와 음유시인에 의해 예부터 영국에 이야기가 전해졌고 '전설 속의 사람'인지 실제 인물인지 알 수 없다.

정직한 사람이 이득을 보는 이야기

– 「잭과 콩나무」

잭은 영국의 전래소설에 잘 나오는 주인공 이름이다. 한국의 '철수'와 같은 평범한 이름이다. 이야기에서는 잭이 머리가 좋은 아이라고 말하지 않는다. 하지만 정직하고 남을 의심할 줄 모르는 미덕을 가지고 있는 아이다.

잭은 가난하여 먹을 것이 없어서 마지막 남은 중요한 소를 '마법의 콩'이라는 말을 듣고 콩 몇 톨과 바꿔버렸다. 의심 없이 들려서 소를 빼앗겼는데 사실은 그것이 진짜 마법의 콩이었다. 이렇게 만난 사람은 신선이었다. 하룻밤 사이에 자라난 콩은 커다란 나무처럼 구름 속까지 자랐다. 잭은 처음 보는 알 수 없는 콩나무였다. 이 꿈과 같은 콩나무에 올라 잭은 환상적 모험의 여행을 하게 된다. 그리고 거인의 성에서 보물과 금화를 가지고 와 행복하게 되었다는 이야기이다.

아무리 나쁜 사람의 것이라도 남의 것은 빼앗는 것은 나쁜 짓이 아닌가, 하는 의문이 생기지만, 이야기 속에서 신선은 잭에게 '잭, 너의 마음은 깨끗하니까 좋은 일을 가르친다.'라고 했으며 '거인의 성에 있는 것은 무엇이든 잭, 네가 가져가라.'라고 하였다. 가져서는 안 되는 것을 거인으로 상징하는 것, 가난의 욕심, 무엇이든지 자기 마음대로 하려는 마음은 바람직하지 않으며 인간으로서 바람직한 것은 정직하고 성실하고 욕심이 없는 마음이어야 한다고 이 이야기는 가르치고 있다.

신화가 된 이야기

-「세 마리의 돼지」

「세 마리의 돼지」는 영국의 잉글랜드 지방에 전해 내려온 민화로 1890년, 조셉 제이 콥스가 『잉글랜드 옛날이야기 집』에 발표하여 세상에 널리 알려지게 되었다. 특히 유년층 독자가 가장 즐기고 좋아하는 작품이라고 해도 지나친 말은 아니며 가장 많이 사랑받아 왔다. 동화, 그림책, 인형극, 그림자극, 그밖에도 여러 가지 모습으로 이 작품을 표현하여 어린이들의 사랑을 받았다.

짚으로 지은 집, 나무로 지은 집, 벽돌로 지은 집 순으로 돼지가 지은 집들이 늑대에 의해 무너지지만, 돼지들의 지혜로 늑대는 지고 만다. 돼지들은 엄마에게 이르지도 않고 지혜를 발휘해서 그 무서운 늑대를 물리쳤고 너무나 지혜롭고 씩씩해서 누구나 다 좋아하는 이야기가 되었다. 이 지혜로운 돼지들에게 정말 박수, 박수, 박수.

도시에서는 살 수 없는 자연아의 이야기

―「알프스 소녀 하이디」

아름답고 푸른 지구가 탄생한 지 약 45억 년. 참으로 긴 시간에 걸쳐 창조된 훌륭한 생명 체계와 자연은 불과 4만 년 전에 나타났다. 인간은 호모 사피언스('생각하는 사람'이라는 뜻)로 시작되었다.

1890년 요한나 슈피리가 쓴 '하이디'의 이야기는 알프스의 아름다움, 자연과 더불어 멋지게 어울려 사는 자연을 사랑하는 마음, 알프스의 작은 마을에서 태어나고 자란 작가 슈피리의 마음이기도 하다.

이 이야기가 발표된 이후 건강하고 아름다운 읽을거리로 100년 이상 사람들에게 사랑을 받고 있다. 후장크 후로토에서 일 년 가까운 도시 생활로 인해 병을 얻게 된 하이디가 자연 속에서 살며 치유된다는 이 이야기를 읽고 사람들은 환경파괴를 중단하고 적어도 하이디의 마음이라도 이해할 필요가 있을 것이다.

스위스 알프스 등산 입구의 '쩰맛도'란 마을에서는 자연 보호자들이 관광개발을 늦추고 휘발유 차를 들어오지 말도록 막고 있다고 한다. 하이디를 닮은 사람들이다.

색다른 비판에 직면한 그림동화

- 「일곱 마리 아기염소와 늑대」

    그림동화 속에 가련한 늑대 이야기는 없다. 동화 속의 늑대는 교활하고 영리하며 또 냉혹하고 용서 없는 악의 존재였다. 그러나 악의 솜씨는 언제나 실패하고 최후에는 비참한 결과로 끝이 난다. 원래 육식 동물인 늑대가 염소를 먹는 것은 자연의 원리라고 할 수 있겠으나 동화에는 극악무도하게 그려져 있다.

    배를 가르고 커다란 돌들을 채운 채로 물에 빠져 죽어도 당연한 결과로 달콤하게 생각할 수밖에 없게 되어 있다. 늑대에게는 무어라고 참을 수 없이 가련한 이야기지만 왜 아기 염소를 구해준 엄마 염소의 용기와 지혜만이 클로즈업되는지. 그림동화는 어린이들에게 교훈 이야기, 환상적인 꿈으로 근래 그 의미를 다시 생각하는 경향인데, 그 잔학상을 지적하는 소리도 점차 깊어지고 있다. 비판도 있다. 극단적 비판 속에는 과거 나치 독일과 결부시키는 사람도 있을 것이다.

    어머니 양의 행위도, 마귀를 큰 솥에 밀어 넣은 그레텔의 행위도 나치 독일적 발상이라는 것이다. 유럽동화의 집대성이라고 말할 수 있는 그림동화는 여러 가지 논의를 벌여서 아동교육 심리학 등 여러 분야에서 연구가 계속되어야 할 것이다.

어린이가 제일 좋아하는 동물 이야기

- 「이솝우화」

이솝은 기원전 6세기의 그리스(너무나 오래되어 정확한 것은 알 수 없으나) 노예였다고 한다. 이솝이 이야기했다는 우화는 우리 인간이 생활하는 가운데 중요한 요소를 흥미 있는 우화로 이야기한 것이다. 인간들의 관계를 동물들과의 관계로 이야기한 것인데 동물의 성격에 알맞게 인간 생활에 일어나는 일들을 동물 이야기로 비유해서 아주 쉽고 재미있고 짧은 이야기로 만들었다. 이 속에 우리 인간의 도덕관에 꼭 알맞게 우화를 꾸몄기 때문에 재미있고 자기 스스로 반성의 좋은 교훈이 되어준다. 일찍이 교과서에도 실린 바가 있어 이솝우화는 누구나 좋아하는 이야기이다.

프런티어 정신이 넘치는 이야기

– 「오즈의 마법사」

「오즈의 마법사」가 태어난 것은 1900년, 작가 프랭크 바움의 44세 때였다. 그는 신문기자, 극작가, 연출가, 극장 경영자라는 경력을 갖고 있었으며 그 체험이 이러한 교훈적 이야기의 바탕이 되었을 것이다. 미국의 어린 독자의 큰 반향에 의해서 차례차례 속편이 써졌고 오늘날 오즈 시리즈는 모두 14권의 책이 되었다.

이 공상적인 이야기의 매력적인 첫째 주인공 도로시는 평범하고 더없이 평범한 여자아이였다. 현실에도 자주 있는 회오리바람에 의해서 이상한 세계로 날아가는 공상 이야기가 묘하게 자신에게 가까이 있는 것처럼 느껴지는 것은 이야기의 무대가 바로 미국적 풍토색이 넘치는 것에 있다.

대초원을 개척한 개척자들의 마음이 도로시의 여행을 통해서 교묘한 솜씨로 상징되는 점, 도로시의 갈등을 허수아비, 양철 아저씨, 사자에 의해서 프런티어 정신에 어긋남이 없는 지혜와 따뜻한 마음, 용기의 중요성을 가르쳐준다. 어떤 마법보다도 훌륭한 인간의 힘이 그것이다. 영국이나 독일의 마법 이야기에선 볼 수 없는 미국이라는 혼혈과 혼종의 나라 만들기에 노력하는 젊은 슬기가 원동력이 된 공상 이야기이다.

어린이가 제일 읽고 싶어 하는 동화

– 「피노키오」

명작이라고 하는 책은 많이 있지만 「피노키오」처럼 세계의 어린이들에게 사랑받은 작품은 많지 않다. 어른의 취향에 의해 밀어붙이는 도덕성이 아니라 어린이 편에 서서 그 성장의 과정을 따뜻하게 지켜봐 주는, 이런 것이 어른이 읽어주고 싶은 것 이상의 어린이들이 읽고 싶은 가장 큰 이유이다.

그런데 잘 눈에 띄지 않는다. 차별하는 책으로 지적되었다. 출판사에서도 서로 중판을 하지 않는 경향이다. 하지만 이처럼 어린이의 꿈을 그려준 내용이 드물다. 어린이의 사랑을 받고 많은 어린이에게 사랑과 가능성과 용기를 준 동화는 참 드물다. 그런데 아무리 경제적 이유로 중판을 못하고 판매가 잘되지 않아 피노키오가 절판된다는 것은 문화적으로 불행한 일이다.

그림 형제 동화의 무대 '독일의 숲'

　독일의 숲속은 키가 작은 나무와 풀이 거치적거려 걷기에 힘든 한국의 숲과 달리 어린이들도 즐겁게 뛰어다닐 수 있는 숲이다. 또 넓고 높낮이 없이 평평하며 바위나 큰 나무도 없어 한 번 들어오면 봐둘 만한 표적이 없어 쉽게 나오기도 힘들다. 그래서 헨젤과 그레텔도 집으로 돌아올 생각으로 한없이 숲으로 들어갔으며 백설 공주도 숲속 깊이 도망쳤다. 이렇게 많은 동화의 배경이 된 숲속은 빠져나오기 힘들었기 때문이지만 숲속이라고 해서 반드시 비현실적인 꿈의 세계는 아니다.

　19세기 전반까지 곰, 이리와 같이 사람을 괴롭히는 짐승은 모습을 감추었고 숲이야말로 사람의 마음을 위로하는 아름다운 자연으로 바뀌었다. 동화가 전해진 뒤로는 도리어 짐승들이 인간 사회에서 추방되거나 도망쳐 나갔다. 인간 사회에서의 고통이 야수들의 위협과 악행을 만나는 공포보다 괴롭다고 표현된 것이다. 어느 쪽에서나 무서운 현실은 있으나 사람들은 쉽게 들어가고 나갈 수 없는 신비한 숲속의 동화로 구원을 구했다. 현실과 같은 공상 이야기를 만들어 썼다.

　건강을 위해서가 아니라 옛 독일에 마음을 싣고 숲에 들어가면 있어야 하는데 없는 이리와 마녀가 반갑게 맞이해 줄 것이다.

이야기 구성을 위한 정근 드로잉

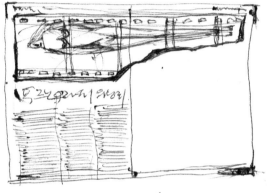

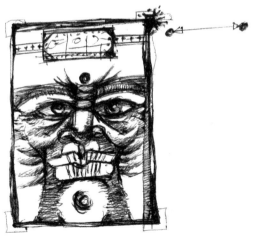

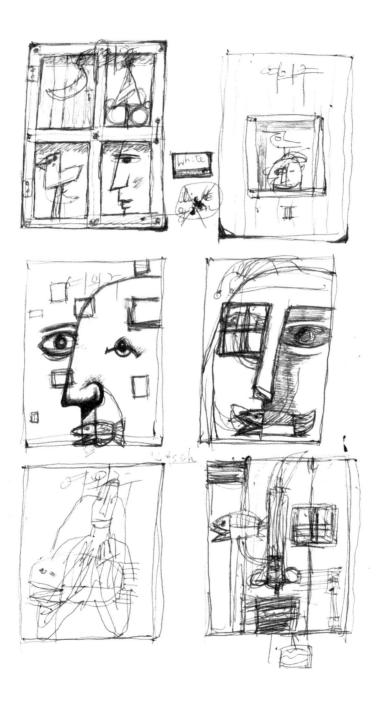

어떤 소리가 들리나요

나무 위는 토끼 귀도

참 잘 듣는 귀 귀도

풀숲에서 목주소리까.

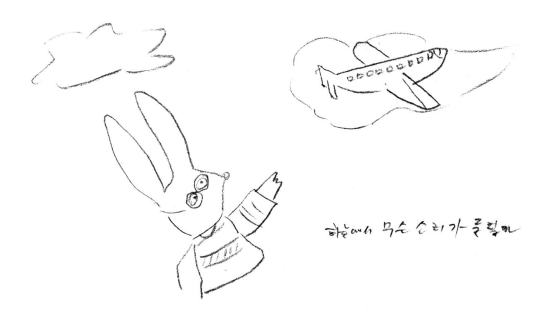

하늘에서 무슨 소리가 들렸어

Mommy ⟷ Daddy Can You Play with Me?

나 와 함께 들어줘요

영국 ジャにォ vジチャe
効果的高 専門志 グラフィック
デジャㄴ 美容器具

1 Colours   을
2 Shapes   形
3 number   數
4 sizes   크기
5 touch   촉각
6 Counting 세기
7 opposite 반대 말
8 time.   時间

9. home   집안
10. Shopping. 쟈기
11. Sorting 틀린 것찿기
12. clothes w의 국면
13. natur 자연
14. thing that go

유정아껏

15 "ㅁ(Libro)처 름㱐

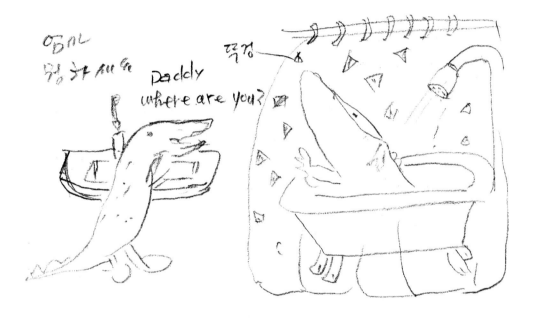

자 그럼
책을 읽자
No let's
read together

Guess
the
Animal.

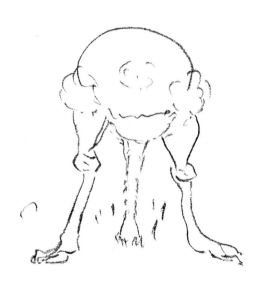

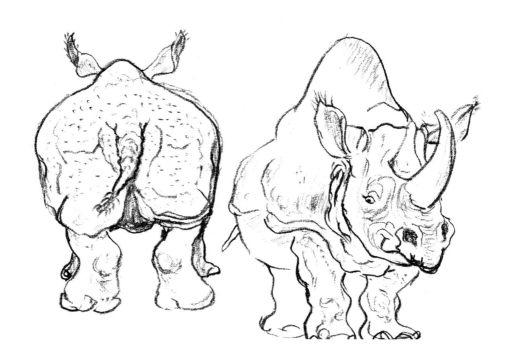

알속에서 숨바꼭질.
하고있는
아기는 누굴까?
a라 볼세?

아랑 다랑 안녕
안녕 하세요
거북 아기님
안녕 하세요

일속에서
숨바꼭질 하고있는
아기는 누구일까
나와보세요

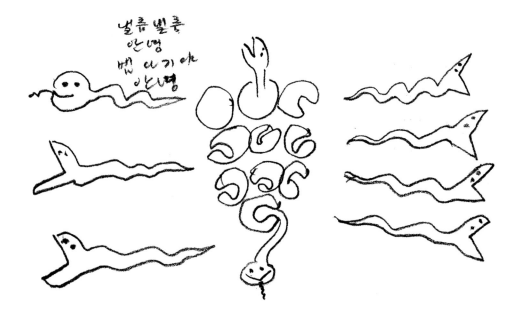

아기오리야 어리가네 !
즐거운 듯 즐거운

아빠
비누로 왕어리 가네.

어! 닳았다.
목욕 가는거지.'
꽥 꽥
그래 그래 걸어가지
빨리와. 빨리와

기라라라
기라라라요
지금 속옷을
벗고있어

자! 펴션로 다 벗었다.
하하~ 발가 벗엇구나

즐거운 공놀이

어느쪽이 더 클까

뭐 라고 말 할 깨요

만나서 안녕 하세요

헤어질때   안녕히 가세요

갈등 새들에 느는 것 임 까요

어 끼 기 를 뺨 들 끼 다

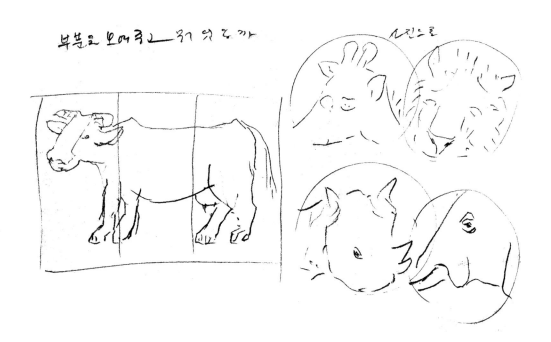

알 속에 아기는 누굴까

알 속에서 숨바꼭질 하고

있는 아기는 누구야!

어서 나와라

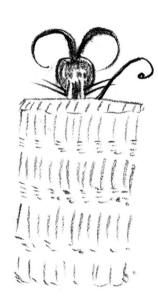

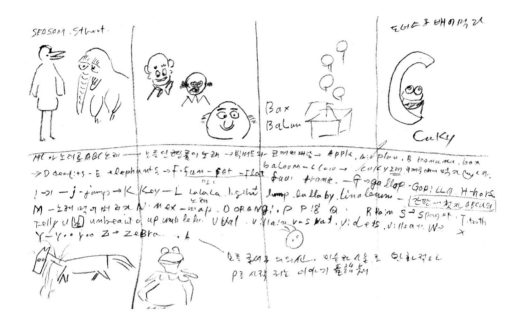

SEASOM.Street.

동네로 돼이먹라

Box
BaLum

Cuky

MC 와 노래로 ABC 노래 — 노드인형들이 노라 → 빅버드와 쿠키의 때낭 → Apple, airplou, B banana, box
→ Doonyts - E. elephants → F. fun - fat - flat baloom - Ccow → Cuky 노래 후게들이 먹지 C 나즈다.
! -기 — j - jump → K. Key - L lalala. l. light lump. lullaby. linoleum - GORiLLA. H- hors
M - 노래 멱여 버러쟈 N. mex - map. O ORANG. P P!£ Q R Rain S → Spag어쿠. T. tooth
Y - Y. you Z → zebra. A

노드 글씨로 되더라, 비슷한 사운으로 인하느적으로
p로 시작 하는 이야기 품해보써

정근 전집 3권

인　　쇄 | 2022년 7월 11일
발　　행 | 2022년 7월 18일

지 은 이 | 정근
펴 낸 이 | 손정순
펴 낸 곳 | 도서출판 작가
　　　　　(03756) 서울 서대문구 북아현로6길 50
　　　　　전　　화 | 02)365-8111~2　팩스 | 02)365-8110
　　　　　이 메 일 | morebook@naver.com
　　　　　홈페이지 | www.cultura.co.kr
　　　　　등록번호 | 제13-630호(2000. 2. 9.)

편 집 인 | 정철훈
간행위원 | 현기영(소설가), 양정자(시인), 이상국(시인),
　　　　　신이영(유라시아문화연대 이사장),
　　　　　장철문(시인·아동문학가),
엮 은 이 | 정철훈(시인·편지문학관 관장)

ISBN 979-11-90566-44-5 (04800)
값 20,000원